인도로 가는 길

달라이라마와 도올의 만남 (1)

도올 김용옥 지음

통나무

이 한 권의 책을

우리의 느낌을 담을 수 있는

우리의 문자를 선사하여 주신

세종대왕께 바치나이다.

Contents

기나 긴 사색의 출발

- 니련선하에서 -

뽀이얀 먼지 속에 서산에 이글이글 지는 해가 대탑에 그림자를 드리우고 땅거미가 어둑어둑 대지를 엄습할 때, 내가 보드가야 (Bodhgaya)에 도착한 것은 2002년 1월 8일의 일이었다. 우연히 나의 카메라에 잡힌 니련선하(尼連禪河)의 모습은 보는 이들에게 너무도 많은 묵언의 멧세지를 전해줄 것이다. 광활한 대지, 끝없이 펼쳐지는 지평선, 소리없이 유유히 흐르는 강물, 휘몰아치는 먼지바람, 깡마른 다리를 휘감어대는 도포자락을 떨치며 무심하게 걸어가는 사나이, 터번 속에 가린 얼굴은 중생의 고뇌를 다 씹어 먹은 듯, 니련선하의 풍진에 자신의 풍운을 다 떠맡기고 있었다. 고타마 싯달타는 바로 이런 사람이었을까?

저 광막한 니련선하 건너로 희미하게 하늘을 가리운 산이 전정

달라이라마와 도올의 만남(1)

각산(前正覺山)이다. 그 전정각산 아래로 시타림(屍陀林)이라는 수풀이 있다. 고타마 싯달타는 바로 그 시타림에서 6년동안 뼈를 깎는 고행을 하였다. 지금은 파키스탄의 영토가 되어 있는 라호르(Lahore)라는 곳의 박물관에 소장되어 있는, 기원후 2세기 경에 제작된 간다라풍의 사실적 조각은 고타마 싯달타의 고행이 과연 어떠한 경지의 육체적 학대였는지를 잘 말해 줄 것이다. 싯달타는 하루에 쌀 한 톨과 깨 한 알로만 연명하며 오로지 정진에만 몰두하였다. 이를 악물고 혀를 입천장에 댄 채 마음을 비우고 숨을 죽였다. 온 몸에서는 뻐질뻐질 땀이 솟으며 뜨거운 열기가 피어올랐다. 안나반나(安那般那)라고 불리우는 지식선(止息禪)의 고행으로 어언 6년간, 그의 몸은 여위어만 갔다. 피골이 상접한 그의 가슴에는 갈비뼈가 앙상하게 드러났고 혈관이 거미줄처럼 뻗어갔다. 배를 만지면 등뼈가 만져지고 움푹 파인 동공 밑으로는 광대뼈가 치솟았다. 이 간다라 예술 걸작품의 작가는 당대의 고행자들의 모습을 실제로 예리하게 관찰하였을 것이다. 갈비뼈나 깡마른 팔뚝의 모습은 해부학적으로도 정확한 형태를 그리고 있다. 그러나 이 걸작품의 위대성은 그러한 사실성에 있는 것은 아니다.

신체가 이토록 수척하고 허기졌다면 분명 의식도 몽롱한 상태에 빠졌을 것이며, 등골은 굽어지고 자세도 허물어졌을 것이다. 그러나 이 조각 속의 싯달타의 모습에는 꼿꼿한 몸매와 야무진 입술, 광채서린 예리한 눈길, 살가죽 위에 드러난 힘줄 한 오라기마다 무서운 긴장감이 흐르고 있다. 고행 속에 피폐해져 가는 모습이 아니라, 신체적 고통과 구속에 맞서서 싸우고 있는 인간 싯달타의 살아있는 영혼의 생동감을 영웅적으로 표현하고 있는 것이다.[1]

인간의 고행은 쾌락의 반성으로부터 출발한다. 전설적인 기술을 액면 그대로 따른다면 싯달타라는 사람은 카필라성의 왕자로서 엄청나게 부유하고 오복의 풍요로움을 구비한 생활을 향유했던 사람이었다. 싯달타에게 있어서 29세의 출가라는 사건의 이전과 이후를 가르마 짓는 사실은 쾌락과 고행이라는 양극적 상황일 것이다.

출 가 전	출 가 후
쾌 락	고 통

인간의 신체로서 도달할 수 있는 고행의 극점에서 인간 싯달타에게 퍼뜩 다가오는 어떤 영감, 아니 양심의 외침같은 것이 있었다.

"야 임마! 도대체 넌 뭔 짓을 하고 있는 게냐?"

이 단순한 반문은 싯달타라는 한 인간에게 매우 근원적인 반성의 계기를 제공하는 것이었다. 고행의 근원적 의미가 무엇이었던가? 나는 도대체 왜 고행을 하고 있었던 것인가? 인간의 행위는 소기하는 목적이나 가치를 떠나서 고립될 수 없다. 도대체 무엇을 위하여 나 싯달타는 고행을 하고 있었던 것인가?

반문해볼 필요조차 없었던 반문을 고행의 정점에서 퍼뜩 하게 되었던 것이다. 인간이 도달할 수 있는 고행의 극한점에서, 다시 말해서 고행의 고통을 초극할 수 있는 위대한 디시플린의 고지에서 그는 고행의 무의미성을 되씹은 것이다. 나는 근원적으로 고행이 소기하는 바 의미나 목적을 상실한 채 고행을 위한 고행, 즉 나 자신의 육체를 스스로 괴롭히는 것에만 열중하는 고행에 빠지고 있었던 것이 아니었던가? 싯달타는 수단과 목적이 전도된 고행의 경쟁의 홍류 속에 휩쓸려가고 있었던 자신의 모습을 깨닫게 되었던 것이다.

신체적 고행이란 반드시 위대한 수행승의 전유물은 아니다. 우리 주변에서 우리는 성철스님과 같은 위대한 수행자보다도 더 치열한 용맹정진 속에 신체적 고행을 감행하고 있는 사람들을 수없이 발견할 수 있다. 예를 들면, 올림픽 금메달을 따기 위해 태능선수촌에서 신체적 극기훈련에 열중하고 있는 청년들, 세계 챔피온의 꿈을 꾸며 시골 마찻길을 매일 질주하고 있는 권투선수, 월드컵의 함성에 보답하기 위해 사선을 뚫고 있는 축구선수들, 최소한 신체적 고행(physical penance)이라는 측면에서 이들이 감내하고

있는 용맹정진의 도수나 긴장감은 고승들의 고행을 무색하게 만
드는 것이다.

 그런데 어느 날, 퍼뜩 한 운동선수에게 이런 생각이 들 수가 있
을 것이다. 도대체 나는 왜 이런 짓을 하고 있는 것일까? 금메달
을 따기 위해서? 금메달은 왜 따려 하는가? 일생을 보장받는 연금
도 딸 수 있고 그래서 부모님을 기쁘게 해드릴 수 있고, 또 금메달
수를 하나 늘임으로써 국익에 보탬이 되면 나는 애국자가 될테니
까 ―. 과연 금메달을 하나 더 첨가한다는 것이 대한민국의 사회
가 가지고 있는 문제점을 근원적으로 해결하는 어떤 가치를 창출
할 수 있을까? 금메달은 과연 국익에 보탬이 되는가? 엘리트 스포
츠의 과도한 경쟁 속으로 점점 국가를 타락시키는 데 보탬이 되는
행위를 내가 자행하고 있는 것은 아닐까? 연금을 탔다고 하자! 과
도한 훈련으로, 연금을 탄 직후에 관절이 다 파열되어 걷지도 못
하는 불구의 몸이 되었다고 하자! 격려의 환호성도 사라지고, 광
고주들의 추근거림도 일시에 끊어지고, 친구들의 발길도 자취를
감추어 버리고…… 연금봉투만 걸머진 채 버림받은 고독한 한 인
간으로 전락하였다고 하면 과연 젊은 날의 고행의 본질적 의미가
어디에 있었던 것일까?

 시타림에 있었던 싯달타라는 한 인간에게 퍼뜩 찾아온 생각은
이러한 운동선수의 반문과 정확하게 일치하는 것이었다. 싯달타
라는 고행자에게는 고행의 매우 명료한 목적이 있었다. 그 목적은

인도말로 목샤(mokṣa)라고 하는 것인데 우리말로, 아니 정확하게는 중국말로 해탈(解脫)이라고 하는 것이다. 다시 말해서 우리말의 "해탈"은 "목샤"의 한역(漢譯)에서 유래된 것이다. 해탈이란 풀 해, 벗을 탈, 문자 그대로 풀고 벗는 것이다. "벗어버림"이란 반드시 벗는 대상을 가지고 있다. 즉 "벗음"이란 "무엇 무엇으로부터의 벗음"이다. 그 벗음의 대상을 우리는 윤회(輪廻)라고 부르는데 이것은 인도말로 "삼사라"(saṃsāra)라고 하는 것이다. 다시 말해서 윤회는 "삼사라"라는 고대 인도어, 산스크리트 어휘의 한역인 것이다. 이것은 영어로 보통 "트랜스마이그레이션"(transmigration), 혹은 "휠 어브 리버쓰"(wheel of rebirth)라는 식으로 표현되고 있다.

윤회라는 말을 들으면 우리는 금방, "내가 고양이가 되었다가 소가 되었다가 개미가 되곤 한다지?"하고, 사후의 세계에 관한 매우 비과학적인 논설로 오해하기가 쉽다. 허긴 황하(黃河)문명의 매우 현실적이고 상식적인 세계관의 훈도를 받은 우리들에겐 이 윤회라는 생각은 얼핏 보기에 매우 생소한 것이다. 세계문명사의 지도를 펼쳐놓고 본다면 이 윤회라는 생각은 파미르고원의 동쪽의 사람들에게는 비교적 생소한 것이었지만, 파미르고원의 서남쪽으로 펼쳐지는 모든 거대한 문명권에는 공통된 인간 삶의 이해 방식의 기저였다.

사람이 죽어서 천당간다든가, 지옥간다든가 하는 이야기는 우리주변에서 구태여 기독교를 들먹이지 않아도, 쉽게 들을 수 있는 이야기다. 즉 사후에, 인간의 영혼이 되었든 기(氣)가 되었든 그 무엇이 지속된다는 것은 모든 고대인의 세계관, 우리가 흔히 무속(샤마니즘)이라고 부르는 원초적 세계관의 공통된 기저였다. 그런데 윤회의 가장 큰 문제는, 사자의 존재의 지속에 관한 문제가 아니라, 바로 그 죽은 사람이 또 죽어야 한다는 이야기다. 죽은 사람이 야마(Yama, 閻魔) 신의 세계나 천당에서 타 사자의 영혼들과 재회하고 그곳에서 영원한 복락을 누리고 살면 좋겠는데, 그 사자의 복락조차 영속이 보장될 수 없는 것이다. 다시 말해서 죽은 사람이 또 죽을 수밖에 없는 운명이라는 것이다. 죽은 사람이 또 죽으면 어떻게 되는가? 그는 또 다시 인간세의 다른 생명체로 환생하게 되는가?

이러한 신비롭고 환상적인 이야기에 대한 끊임없는 상상의 논의는 지금 우리 과학적 세계관의 상식구조에 세뇌된 사람들에게는 최소한 명료한 해답이 있을 수 없다는 것은 너무도 명백한 사실이다. 그래서 신앙적으로 불교관을 수용한 신도들에게는 스님들의 법어가 그냥 먹힐 수 있을지 몰라도, 최소한 상식적 대중들에게는 윤회 운운하는 스님들의 법문은 예수부활 운운하는 목사님의 설교 못지않게 설득력이 없는 것이다. 왜냐하면 우리 황하문명권의 사람들은 사후의 세계를 전제하지 않고서도 몇천년을 건강하게 살아온 위대한 경력을 가지고 있기 때문이다.

인도의 시골에서 흔히 만날 수 있는 양치기의 모습.

이 평범한 사진은 인도문명의 복합적 성격을 잘 말해준다.

이 할아버지의 얼굴에서도 목자 예수의 모습을 읽을 수 있다면,

유목문화와 농경문화의 이분적 이해방식은 때로 허구적인 것일 수 있다.

윤회란 무엇인가?

　그런데 한번 이렇게 생각해보자! 지금 이 글을 쓰고 있는 방앞의 정원에 나는 조그만 채마밭을 하나 가꾸고 있다. 봄이면 글을 쓰다 나가서 무우씨나 깻잎씨를 뿌리고 가꾸어 먹는다. 그런데 이것들은 왕성하게 제각기 다른 모습으로 자라지만 가을이 되면 결실을 맺고 씨를 맺는다. 그래서 내년 봄이 되면 또 그 씨를 뿌리게 된다. 최소한 내가 올해 우리집 정원 채마밭에 뿌린 씨와 내년에 뿌리는 씨 사이에는 분명한 공통점이 있다. 이것을 같은 씨라고 한다면, 그리고 그 씨를 보다 추상화시켜서 동일한 DNA구조의 지속이라고 생각한다면, 분명 이 씨는 윤회를 거듭하고 있는 것이다. 즉 씨는 같은 씨이지만 매년 다른 모습으로, 다른 환경의 기후조건에서 다른 체험을 향유하면서 윤회를 거듭하고 있는 것이다. 이렇게 보면 "식물의 윤회"는 너무도 쉽게 과학적으로 설명이 가능하다. 동물의 윤회의 경우, 개체의 존속과 소멸, 그리고 지속을 어떠한 방식으로 설정하냐는 데는 제각기 문명마다 다른 세계관 속에서 설명이 가능하겠지마는, 인간의 윤회라는 것도 크게 말하면 이러한 대자연의 순환이라는 에코시스템(eco-system)의 틀에서 설명될 수 있는 것이다. 이러한 윤회의 사상은 "우파니샤드"라고 불리우는 일련의 문헌군, 그리고 『마하바라타』라는 대 서사시 등에 이미 명료하게 정착되어 있는 것이다. 이 문헌이 쓰여진 것은 반드시 불교의 발생 이전이라고 단정할 수는 없지만, 대강 불교가 발생되기 이전 기원전 7~5세기에는 이미 정착된 내용이라고 간주되는 것이다.

인간의 출생과 죽음, 그리고 가을에 지는 낙엽과 봄철의 소생, 그런 것들을 고대인들은 분리해서 생각치를 않았다. 그들에게 중요했던 것은 이러한 잡다한 사상(事象)을 통괄하는 가장 기초적인 개념이나 추상적 속성을 파악하는 것이었다. 그 공통된 속성을 "생명"이라고 한번 이름지어 보자! 그러나 고대인들은 생명을 어떤 추상적 개념으로 생각하지를 않았다. 대자연의 온갖 모습을 지어내고 있는 어떤 물리적 기저, 질료 같은 것으로 생각했다. 생명현상과 관련하여 생각할 수 있는 그런 질료로서 우리는 "물" 같은 것을 쉽게 생각해볼 수 있다. 여름의 뙤약볕에 말라죽은 초목에 비가 내리면 다시 생명이 움트고 초목은 무성하게 소생한다. 사막에서 말라 죽어가는 인간에게도 오아시스의 물 한모금은 생명을 가져다 준다. 즉 물은 생명 그 자체로서 인식될 수밖에 없었다.

인도대륙은 거대한 평
원이다. 인도의 농촌은
우리의 상상과는 달리
풍요롭고 아름답다. 이
허수아비는 생명의 윤
회의 한 상징일까?

생명원리로서의 수분은 식물과 더불어 인간에게 섭취되면 그것
은 인간의 생명을 유지하는 영양이 되는가 하면, 그것은 정자가
되어 모태로 들어가 새로운 생명을 잉태시킨다. 우리말의 "정"
(精)이라는 글자를 살펴보면 그 속에는 쌀(米)이 들어 있는 것이
다. 쌀은 식물의 생명의 정화이며, 그것은 곧 인간의 몸에 들어와
또 다시 정자·정액이라는 새로운 생명의 정화를 만들어낸다. 즉
그것은 생명의 씨(bija)로서 윤회를 계속하고 있는 것이다. 고대인
도인들은 그것을 물이라는 생명의 변용(transformation)이라고 생
각했다. 사람이 죽어 시체가 화장되면 수분은 연기가 되어 하늘로
올라가게 된다. 이렇게 끊임없는 순환의 경로를 더듬어 가는 물은

달(月)에 그 근원을 두고 있다고 생각하였다. 달이 기울고 차는 것을 고대인들은 매우 신비롭게 생각하였고, 달을 천상의 물을 담는 용기로 파악하였다. 달에 물이 가득찰 때가 만월이고, 찬 물이 다 흘러내리면 그믐이 된다고 해석하였던 것이다. 베다제식에 빼어 놓을 수 없는 신적인 술(神酒) 소마(蘇摩, soma)가 달을 신격화한 월천(月天), 즉 소마데바(蘇摩提婆, Soma-deva)와 동일시된 것도, 바로 달이 신들이 마시는 소마를 담고 있는 용기라는 생각에서 유래된 것이다.

생명의 원리로서의 물은 달로부터 유출되어 지상으로 내려오고, 또 다시 지상에서 달로 되돌아가는 윤회를 되풀이하는 것이다. 사자의 영의 타계로의 편력, 그리고 타계에 있어서의 다시 죽음(再死)은 이와 같이 생명의 순환의 원리와 결합되어 갔다. 야마의 나라에서 다시 죽은 사자의 영은, 연기가 되어 하늘나라의 달에 도달한 물이 또 다시 비가 되어 지상에 강림하듯이, 다시 지상으로 귀환하게 되는 것이다. 차안의 삶과 피안의 삶이 순환적으로 교체하고, 삶과 죽음이 끊임없이 반복된다. 이렇게 해서 윤회관은 형성되었던 것이다.[2]

윤회의 주체로서의 생명의 상징을 불(火)로 볼 수도 있다. 한의학적 인체관에서 다루는 화(火)의 개념도 이러한 우주론과 결코 무관하지 않다. 싸늘한 것은 죽음이다. 우리 몸이 살아있다는 것, 즉 생명을 유지하고 있다는 것은 체온 즉 불(火)을 유지하고 있기 때문이다. 이 불이 어떤 상태로 인체내에서 배분되어 있느냐에 따라 건강과 불건강이 결정된다. 모든 생명의 불은 결국 태양과 관련된다. 생명의 원리로서의 불은 태양으로부터 광선·맥관을 거쳐 인체내로 들어 갔다가, 사람이 죽게되면 역의 경로를 거쳐 태양으로 환귀하게 되는 것이다. 이러한 불의 윤회사상도 인도인의 신체관이나 우주관에는 일찍 정착되었다. 이슬람 이전의 순수 페르시아 사상인 배화교(Zoroastrianism)의 불의 숭배의 제식의 배면에도 비슷한 세계관이 도사리고 있다.

윤회의 주체를 기(氣)로 볼 수도 있다. 이렇게 되면 기철학적 우주관이 형성될 것이다. 그러나 기철학적 우주관에서는 윤회의 주체에 대하여 일정한 아이덴티티(동일성)를 인정하지 않는다는 전제가 있다.

윤회의 주체를 바람(風)이나 숨(息)으로 설정할 수도 있다. 우파니샤드의 중심개념인 아트만(ātman, 我)도 본시 "숨"(氣息)의 뜻에서 왔다. 『신약성서』에서 말하는 프뉴마(pneuma)도 바람, 숨, 성령을 동시에 뜻한다. 이 아트만이나 프뉴마가 윤회의 주체로서 영원한 동일성을 유지한다는 생각은 불교의 무아(anātman)의 이론이 생겨나기 이전의 종교적 세계관을 지배하는 공통된 사유방식이었다. 이 세계는 끊임없이 생멸하지만 불사의 아트만은 존속하는 것이다. 마치 사마귀가 한 풀잎의 벼랑끝에서 다른 풀잎으로 옮겨가듯, 아트만은 하나의 신체를 버리고 또 하나의 신체로 끊임

없는 여행을 계속하게 되는 것이다.[3]

    그런데 윤회는 고대인의 우주관(cosmology)을 이해하기 위한 과학적 논설이 아니다. 우리는 너무 종교와 과학을, 철학과 종교를, 그리고 신앙과 이성을 적대적으로 파악하는 데 익숙하여 있다. 이 것은 후대의 서구 계몽주의 정신에 의하여 파악된 왜곡된 희랍정신에 그 원류를 두고 있다. 그러나 전 인류문명사에 있어서 이 한 조류를 제외하면, 모든 사상에 있어서 종교, 과학, 철학, 이런 것들은 대립을 일으키지 않는다. 결국 모든 과학적 성취도 그 궁극적 배면이나 그 최초의 동기에는 반드시 종교적 통찰이 깃들어 있는

인도인의 가장
성스러운 곳,
바라나시의
간지스 강의 석양,
윤회와 해탈이
모두 이 강물과 함께
흘러간다.

것이다. 인도인들이 인간의 삶을 윤회하는 것으로 파악한 이유는 대체적으로 윤리적인 동기나 목적을 가지고 있다고 나는 생각한다. 그것을 단순하게 그들이 우주의 과학적 실상을 추구한 결과라고 생각하기는 어렵다는 것이다. 그들의 윤리적 요청에 의하여 신화적으로 구성된 세계관의 산물이라고 보는 것이 보다 정당할 것이다. 물론 윤리적 요청은 해탈이라고 하는 종교적 목적과 깊은 관련을 맺고 있다.

윤회의 사상이 본시 정복자인 아리안족 계통의 사상이었는지, 피정복자인 토착민인 드라비다족 계통의 사상이었는지도 사계의 분분한 논의가 있으나 확실치 않다. 그러나 윤회의 사상은 정복자인 아리안들의 구미에 매우 잘 맞는 것이었다. 즉 윤회의 사상은 피지배인의 고통스러운 삶을 숙명적인 것으로 받아들이게 만드는 데 일정한 효과를 발휘했을 것이다. 윤회의 사상은 염세론이나 숙명론 같은 세계관과 결코 무관하지 않다.

내가 생각하기에, 윤회는 고(苦)라는 개념과 깊은 관련을 맺고 있다. 윤회하는 삶이 곧 고라는 것이다. 즉 고통스럽다는 것이다. 윤회하는 삶이 매우 즐겁고, 복락의 영원한 행복을 준다면 윤회를 벗어날려고 발버둥칠 하등의 이유가 없다. 다시 말해서 윤회 그 자체가 고통스러운 것이기 때문에 우리는 그것을 벗어나려는 "해탈"(목샤)의 노력을 기울이게 되는 것이다. 윤회하는 삶이 고통스럽기 때문에 해탈이라고 하는 종교적 이상이 성립하는 것이다.

이런 맥락에서 보자면 우리가 흔히 불교의 제일명제처럼 외치는 일체개고(一切皆苦)라는 말은 하등의 불교적 창안일 수 없다. 지금 우리가 금과옥조처럼 받들고 있는 삼법인과 같은 고정문구는 초기불교문헌에서 찾아볼 수가 없다. 그것은 윤회를 설정하는 세계관에 있어서는 필연적으로 도출되는 지극히 평범한 언사일 뿐이다. 일체개고라는 말은 구체적으로 말하면 윤회의 굴레에 속해 있는 모든 삶이 고통스럽다는 뜻이다.

여기 우리가 싯달타의 세계인식을 지배한 주요한 개념으로서, 목샤(해탈), 삼사라(윤회)와 더불어 꼭 추가해야 할 말이 있다. 까르마(karma), 즉 업(業)이라는 말이 바로 그것이다.

업이란 아주 간단히 말하면 인간의 행위(action)를 뜻한다. 중성명사 까르만의 단수주격형인 까르마는 "한다"라는 의미의 어근으로부터 파생된 명사로서, 행위를 의미한다. 그런데 이 행위라는 것은 공간적으로 독립되거나 시간적으로 단절될 수가 없는 것이다. 우리말에 보통 업을 업만으로 말하지 않고 꼭 "업보"(業報)라고 말하는데, 이 업보라는 말에 있어서 보(報)는, 업(action)은 반드시 일정한 결과(fruits)를 남긴다는 것을 뜻한다. 그래서 보만을 말할 때는 과보(果報)라는 표현을 쓰기도 한다. 즉 업이라는 개념은 행위가 남기는 여력이나 과보의 개념과 밀착되어 있기 때문에, 업을 업이라고만 말하지 않고 업보라고 말하는 것이다. 선업은 반드시 선보를 낳고, 악업은 반드시 악보를 낳는다는 생각은 싯달타

간지스 강둑, 가트에서
죽음을 기다리는 노인.
인도인은 간지스 강변
에서 죽으면 해탈이 보
장된다고 믿는다.

개인의 생각이 아니라 싯달타의 사유에 깔려있는 인도인 전체의
생각을 반영하는 것이다. 다시 말해서 오늘의 나의 삶의 고(苦)·
락(樂)은 나의 지난 업의 보일 뿐이다. 그런데 내가 존속하는 한에
있어서 오늘의 나는 또 끊임없이 업을 짓고 있다. 행위를 아니하
고 살 수가 없는 것이니까. 그렇다면 오늘의 나의 행위는 반드시
나의 미래의 존재방식을 결정하는 업보를 수반하게 될 것이다. 나
의 현재의 선업은 미래의 낙과(樂果)를, 나의 현재의 악업은 미래

의 고과(苦果)를 수반하게 될 것이다. 그런데 아이러니칼하게도 나의 선업에 대하여 고과가 수반되고, 나의 악업에 대하여 낙과가 수반되는 현실의 세태를 우리는 종종 목격할 수가 있다. 이렇게 되면 선업-낙과, 악업-고과의 필연적 인과의 고리가 무너져 버릴 수 있다. 바로 이러한 인과의 정당성을 확보하기 위해서는 나의 현존재를 과거존재나 미래존재로부터 분리하지 않는 전체적 연속성이 필요하게 된다. 바로 이 전체적 연속성이 나의 아트만의 윤회이다. 나의 선업의 보장은 반드시 언젠가 윤회의 굴레 속의 미래세(未來世)에서라도 이루어질 수밖에 없는 것이다.

티벹 말로 "인과를 모르는 놈"(ley day sam mi shi khen)이라고 하면 아주 상스러운 욕설이 된다고 한다. 나의 현존재의 모습을 순간순간 과거와 미래의 전체적 인과의 고리 속에서 파악할 수 없는 인간에게는 구원이란 영원히 있을 수 없다는 뜻일 것이다.

그런데 『주역』(周易)이라는 중국경전의 곤괘(坤卦) 「문언」(文言)에 보면 이런 말이 있다.

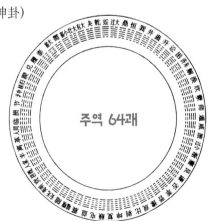

주역 64괘

積善之家, 必有餘慶;
積不善之家, 必有餘殃。

선행을 쌓는 집에는 반드시 훗날에 경사가 있고
악행을 쌓는 집에는 반드시 훗날에 재앙이 있다.

이 『주역』 「문언」의 말은 불교와는 전혀 다른 세계관에서 성립한, 윤회와는 전혀 관계없이 이루어진 고대중국인의 역사의식을 나타내는 윤리적 명제이다. 그렇지만 이 유명한 『주역』의 말은 곧 불교의 업보론을 나타내는 중국적 명제로서 중국대승불교의 역사를 통하여 줄곧 인용되어 왔다.

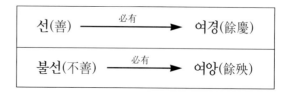

선-여경, 불선-여앙이 "반드시"(必)라는 부사로 연결되어 있다는 이 명제의 사실은 그것이 어떠한 시공에서 일어나든지 간에 불교적 업보론과 동일한 연쇄를 나타내주는 것처럼 보인다. 그러나 사실 이 『주역』의 세계관은 전혀 3계 6도와 같은 윤회적 타계(他界)를 전제하고 있지 않다. 이것은 윤회를 전제로 하지 않은 역사적 시공간의 연속성만을 의미하고 있는 것이다. 그런데도 불구하고 중국인들은 실제로 인도인의 까르마사상을 이 『주역』의 한 구절 속에서 이해하고 용해하고 또 곡해하였다. 그런데 여기서 우리가 놓쳐서는 아니 될 하나의 단어는 "적선지가"(積善之家)의 "가"(家)라는 단어다. 즉 적선·적불선의 주체가 "가"라는 집단으로 되어있는 것이다. 즉 우리말로 "집안"이라는 의미가 되어있는 것이다. 영어로 말하면 업보나 업보로 인한 윤회의 주체가 인디비쥬 알(individual)이 아닌 패밀리(family)가 되어있는 것이다. 이것은 중국의 대승불학에서 일어난 인도의 까르마사상에 대한 최대의 왜곡이다. 나의 행위는 철저히 나 개인에 속하는 것이다. 그리고 나의 업에 대한 나의 보도 철저히 나 개인의 책임이다. 그러나 우리 동아시아 문명권의 사람들은, 특히 중국인과 한국인들은 업을 "집안덕"을 보는 것으로 생각했다. 즉 부모가 공덕을 잘 쌓으면 자연히 그 공덕의 덕택을 자식이 볼 수 있게 되고, 또 자식이 공덕을 잘 쌓으면 부모의 공덕 또한 덩달아 높아진다. 그리고 이러한 공덕의 범주는 형제자매간, 일가친척, 사돈의 팔촌까지 확대되어 나간다. 즉 한 업의 보에 수 없는 꼽사리꾼들이 끼어 들게 되는 것이다. 지금도 대학입시철이 되면 자식의 합격을 빌기 위해 절간에 적선을 하고 공덕을 쌓으러 오는 보살님들의 발길로 절문턱이 닳아 빠진다. 그렇지만 자식의 합격은 오로지 그 자식 개인의 업의 과에 의하여 결정되는 것이며 부모님의 보시로 이루어지는 것은 아니다. 우리나라 『심청전』의 이야기도 대강 이러한 업에 대한 오류적 발상에서 생겨난 문학적 상상이다. 심청이가 임당수(臨塘水)에 빠진 것과 심봉사의 개안은 전혀 무관한 사태인 것이다. 그러나 이러한 발상은 윤회의 주체를 가(家)로 설정하고 그 가 속에서 이루어지는 효(孝)를 자비행으로 생각한 동양인의 사유체계에서는 전혀 어색한 것이 아니다.

짐을 이고 다니는 인도의 여인들

달라이라마와 도올의 만남(1)

업의 새로운 이해

업의 사상이 얼마나 치열하고 무서운 개인의 윤리를 요구하는가에 대해서 우리는 다음과 같은 예로써 새삼 새로운 각성을 해볼 수도 있을 것이다. 슈퍼마켓에 갔다가 선반에 있는 물건을 슬쩍했다고 한번 가정해보자! 그런데 운좋게도 폐쇄회로 텔레비전에 걸리지도 않았고, 아무도 본 사람도 없을 뿐 아니라, 결과적으로 완벽하게 들키지 않았다. "물건을 슬쩍 했다"는 사태는 사실 하나의 무형의 이벤트이며, 들키지만 않는다면, 파도가 일었다가 잔잔해진 물처럼 전혀 흔적을 남기지 않는다. 그리고 영원히 망각될 수도 있다. 그러나 "물건을 슬쩍 했다"는 사태는 분명한 나의 행위다. 즉 나의 까르마다. 그런데 이 까르마는 앞에서 말했지만 반드시 보(報)를 수반한다. 이미 저질러진 나의 까르마는 누가 보든지 안 보든지, 들키든지 안 들키든지, 하나님께서 지켜보시든지 안 보시든지를 불문하고, 반드시 그 자체로 과보를 동반한다. 그리고 이 과보는 당대에서만 끝나는 것이 아니라, 모든 윤회의 생을 통하여 영속되는 것이다. 똑같이 운좋게, 아무도 모르게 살인을 했다고 하자! 결국 아무도 모르는 전혀 일어난 적이 없었던 사건이 되었다! 그러나 그 당사자의 업은 기나긴 억겁 년의 윤회를 통하여 그 당사자 개인의 과보로 영원히 따라다닐 것이다. 그리고 그것은 『식스 센스』(The Sixth Sense)의 꼬마(오스먼트 분)에게 나타나든지, 누구에게 나타나든지 반드시 그 업보는 드러나게 될 것이다. 이것이 인도사상이 말하는 업보의 철칙이다.

길거리를 지나가다가 아리따운 여인의 몸매를 투시하며, 샅샅이 훑어내리고 빨개 벗기고 음탕한 생각을 잠깐 했다고 해보자! 이것은 아무도 듣도 보도 못한 오로지 나 개인의 상상 속에서 일어난 까르마이지만, 벌써 나는 의업(意業)을 저지른 것이다. 업이란 몸으로 저지르는 신업(身業), 말로 저지르는 구업(口業)·어업(語業), 그리고 생각으로 저지르는 의업(意業), 이 모두가 나에게 보를 수반하는 까르마인 것이다. 그리고 겉으로 드러나는 표업(表業)만이 업이 아니라, 겉으로 드러나지 않는 무표업(無表業)도 다 업인 것이다.

윤회는 왜 있게 되는가? 윤회는 바로 우리의 업 때문에 있게 되는 것이다. 윤회의 소이연이 바로 업인 것이다. 나는 앞서 말했다. 윤회는 윤리적인 동기나 목적을 가지고 있다고.

윤회는 업 때문에 있다. 아트만은 업의 기억을 가지고 끝도 없는 지루한 여행을 떠난다. 오늘 나의 현세의 윤회의 현실은 나의 과거의 업 때문이다. 우리는 이 업의 사상을 과거와 연결시켜 생각하면 결정론이나 숙명론적인 사유에 함몰되기 쉽다. 한국인의 일상언어 속에서 "업보"라는 말은 그러한 숙명론적, 즉 체념적 냄새를 가지고 있다. 우리는 불가항력적인 어려운 일이나 비극적인 상황에 휘몰렸을 때 흔히 이와 같이 말하곤 한다.

"이게 다 내 전생의 업보일세!"

까르마는 과연 이러한 체념을 위한 수단일까?

싯달타라는 청년의 사유의 혁명은 바로 이러한 숙명론적이고 결정론적인 까르마를 자유의지론적이고 미래지향적인 것으로 전환시켰다는 데 있다. 다시 말해서 까르마를 윤리적 주체로서의 나의 자각의 계기로서 심화시킨 것이다. 그리고 이러한 업의 전환은 최소한 윤리적 측면에서는 싯달타 뿐만 아니라, 챠르바카 쾌락주의자나 쟈이나교의 마하비라와 같은, 싯달타 당대의 모든 사상가들의 공통된 견해였다. 현세에 있어서의 나의 업이 나의 미래의 생존의 모습을 결정한다고 한다면, 나는 주체적으로 윤리적 행위, 즉 선업을 통하여 나의 미래를 결정할 수 있는 자유의지를 지니게 되는 것이다. 오늘의 나의 생존이 과거의 업의 결과라 해도, 그것은 체념이 아닌 끊임없는 자각과 반성의 계기를 심화시키는 것이며, 우리는 나의 업으로 인하여 생겨날 미래의 모습에 대한 희망 속에서 오늘의 나의 행동을 주체적으로 결정하게 되는 것이다. 즉 업이 있기에 인간은 선해질 수 있는 것이다. 다시 말해서 업은 구원한 미래에 대한 기대 속에서 내가 현세적으로 윤리적 행위를 할 수 있게 만드는 윤리적 근거이다. 이것은 뭐 대단한 지식인에 대한 멧세지가 아니라, 윤회를 믿는 평범한 선남선녀에게 던지는 희망이다. 미혹(惑)과 번뇌에 기초한 업(業) 때문에 고통(苦)스러운 생존이 반복된다. 이 혹(惑)과 업(業)과 고(苦)의 순환적 인과고리를 불교용어로 업감연기(業感緣起)라고 부른다. 우리는 바로 업으로 인한 끊임없는 고통스러운 생존이 있기 때문에 바로 이 고통스러운 생존을 벗어나려는 노력을 하게 되는 것이다. 그런데 이것으로부터 벗어나는 유일한 길은 바로 업을 통하는 길밖에는 없다. 오늘의 나의 윤리적 결단으로 나의 미래를 개척해나가는 것이다. 비록 수드라(sūdra)나 불가촉천민(untouchables, harijan)으로 태어났다 할지라도 선업을 쌓음으로써 미래에는 더 훌륭한 인간으로 태어날 수 있다는 희망을 가지게 되는 것이다. 업으로 인해 윤회가 있고, 윤회가 있기에 해탈이 있을 수 있다. 해탈의 본래적 의미는 업의 윤리적 맥락으로부터 분리될 수 없는 것이다.

내가 2002년 1월 8일 나이란쟈나(Nairañjanā, 尼連禪河, 니련선하 혹은 니련하로 한역됨) 강을 처음 쳐다보았을 때 나의 머리를 스치는 단상들은 이러한 것들이었다. 내가 지금 말한 목샤, 삼사라, 까르마라는 세 개의 기둥은 이 강에서 목욕을 했을 35세의 청년 싯

보드가야 쪽에서 본
나이란쟈나 강과
그 건너 우뚝 서있는
전정각산

달타에게 주어진 일상적 가치였다. 그것은 그 인도청년에게 선택
된 가치가 아니라, 그가 단순히 인도인이었기에 주어져 있던 가치
였다. 다시 말해서 그러한 그의 삶의 가치는 주체적인 선택을 통
해서 주어진 것이 아니라 문화적으로 주어진 매우 일상적인, 보편
적인 가치였다. 우리는 인도라는 문화적 맥락을 빼놓고, 고타마
싯달타가 마가다말을 했으며, 산스크리트어나 팔리어를 이해했을
역사적 인물이라는 사실을 빼놓고 그와 관련된 모든 것이 그의 창
안이며, 불교 고유의 것이라고 착각하기 쉽다. 그에게 있어서 해
탈의 지향이나, 고행의 감내는 당대의 뜻있는 청년들이 행했던 일
상적 체험이었던 것이다. 싯달타라는 청년은 이러한 일상적 체험

에 만족할 수 없었다. 그는 그에게 주어진 일상적 가치를 전혀 새롭게 해석해내야만 했다. 싯달타를 통한 불교라는 새로운 종교운동의 출발은 바로 인도라는 문화적 가치의 혁명이었다. 그리고 그러한 혁명은 오늘날까지도 인도사회에 수용이 되고 있질 않은 것이다. 싯달타의 역사는 끊임없는 혁명과 좌절, 영광과 오욕의 역사였다.

싯달타의 대각의 땅,
보드가야로 가는 길

이러한 혁명의 최초의 계기가 바로 고행의 극단에서 깨달은 중도(中道)의 자각이었다.

중도와 뉴 웨이

중도란 무엇인가? 가운데 길인가? 가운데 길이란 무엇인가? 고통을 위한 고통은 결국 목샤라고 하는 자신의 출가의 본연의 목적을 망각한 어리석은 소치였다. 고행이 나를 벗어버리게 만드는 것이 아니라 점점 더 윤회의 미궁 속으로 빠져 들어가게 만드는 느낌을 받았던 것이다. 그렇다고 관능이 이끄는 대로 애욕의 기쁨에 탐닉하여 욕망과 쾌락의 늪으로 빠져 들어갈 것인가?

비구들이여! 세상에는 두 가지 극단이 있으니 출가자들은 이를 가까이 해서는 아니 된다. 그 두 가지란 무엇이뇨? 하나는 모든 애욕에 탐착하는 것을 일삼는 것이니, 그것은 열등하고 세속적인 범부의 짓이다. 성스럽지 못하고 이익되는 바가 없다. 다른 하나는 스스로를 괴롭히는 짓을 일삼아 고통스러워 하는 것이니, 이것 또한 성스럽지 못하고 이익되는 바가 없다.

비구들이여! 여래는 이 두 가지 극단을 버리고 중도(中道)를 원만히 잘 깨달았다. 중도는 눈을 뜨게 하고, 앎(智)을 일으킨다. 그리고 고요함과 뛰어난 앎, 바른 깨달음과 열반에 도움이 된다.[4]

우리는 이 중도(中道, majjhima paṭipadā)라는 표현 때문에, 싯달타의 최초의 깨달음의 계기를 제공한 이 어마어마한 사건을 매우 일상적인 맥락에서 이해해버리기 쉽다. 소위 비고비락(非苦非樂)의 중도(中道)라 하는 것을 고도 아니고 낙도 아닌 그 가운데라는 식으로 이해하기가 쉬운 것이다. 그러나 여기서 말하는 중(中)이란 가운데(middle)가 아니다.

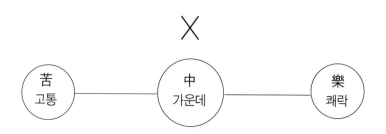

붓다 자신의 표현, "이 두 가지 극단을 버리고"에서 우리는 이 "버림"이라는 사태를 직시할 필요가 있다. 버림은 곧 부정이다. 중(中)이란 즉 고통과 쾌락이 완벽하게 부정되는 사태인 것이다.

즉 그것은 고통과 쾌락의 가운데 눈금이 아니라, 고통이나 쾌락으로는 도저히 도달될 수 없는 완전히 새로운 길인 것이다. 중(中)이란 가운데가 아니요, 새로움이다. 붓다가 깨달은 중도란 미들 패쓰(Middle Path)가 아니요, 완벽하게 새로운 뉴 웨이(a completely New Way)인 것이다.

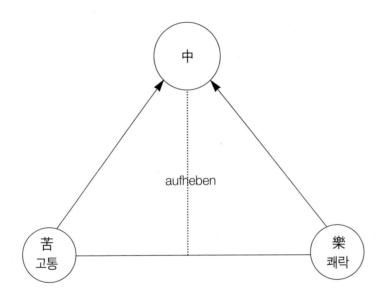

그렇다면 이 고도 아니고 낙도 아닌 전혀 새로운 길이란 과연 무엇인가? 우리는 중도를 이해함에 있어 후기 논사들의 난해한 논리학을 연상할 수도 있다. 나가르쥬나의 『중송』(中頌, *Madhyamaka-kārikā*)의 난해한 부정의 논리를 따라 가느라고 낑낑댈 수도 있다.

미르뿌르 카스
(Mirpur Khās), 파키
스탄 신드지역(Sind
Province, Pakistan)
에서 발견되는 굽타
시대(AD 4~6세기)의
불상. 눈물이 그렁그
렁 고인듯한 인간적
인 눈매가 이 지역
불상의 공통된 특징
이다. 프린스 어브
웨일즈 박물관 소장
(Prince of Wales
Museum, Mumbai).

그러나 이 중도란 것은 매우 단순한 일상적 통찰이었음에 틀림이 없다.

우리나라의 선정(禪定)에 빠져있는 불자들, 특히 좌선을 적통으로 삼는 선불교(Zen Buddhism) 전통 속에서는 중도를 깨달음으로써 새로운 전기를 마련하고 보리수 밑에서 대각·성도를 했다는 싯달타의 모습을 생각할 때, 항상 가부좌 틀고 눈을 지긋이 감고 등을 꼿꼿이 세우고 앉아있는 요가수행자적인 선정의 성자의 모습만을 중도의 요체의 구현태로 생각하기 쉽다. 이것은 후기 대승불교의 아이코노그라피가 만들어놓은 매우 불행한 오류 중의 하나이다. 즉 대각이라는 것은 반드시 그렇게 가부좌 틀고 앉아있으면서 한·서를 인종하고 버티어 내기만 하면 어느 결엔가 후딱 찾아오는 어떤 황홀경이 아닌 것이다. 가부좌란 인도인들이 앉는 일상적 습관의 하나일 뿐이며, 그것은 실로 붓다의 대각과는 아무런 상관이 없는 것이다. 대각이란 책상다리로도 가능한 것이요, 똥 누는 자세로도 가능한 것이요, 드러누워서도 가능한 것이다. 그리고 꼭 보리수나무 밑이어야만 할 아무런 이유가 없는 것이다. 그것은 그냥 싯달타라는 한 인도 청년의 삶의 역정에서 주어진 하나의 우연한 세팅이었을 뿐이다.

특히 선정주의나 고행주의는 당시 인도 출가수행자들에게 매우 유행하던 수행방법이었으며, 이미 고타마 싯달타는 그 방법을 6년이나 마스터한 터였다. 그런데 어찌 새삼 그러한 고행을 부정한 그에게 또 다시 보리수나무 밑에서의 선정(禪定)이 싯달타에게 대각의 계기를 마련했다고 하는 망언이 있을 수 있겠는가?

여기서 우리는 뉴우 웨이로서의 중도를 다시 한번 심도있게 고찰할 필요가 있다. 선정(禪定)이란 중국의 선종에서 유래한 것이 아니고, 원래 산스크리트어의 댜나(dhyāna)라는 말의 음역인 선(禪, 현재 중국발음은 "츠안"인데, 그 옛 발음은 "댜나"와 상통하는 그 무엇이었을 것이다. 그 중고음은 "dziæn"으로 재구된다)과 그 선의 뜻을 중국말로 풀은 "정"(定)이라는 의역을 합친 말일 뿐이다. 즉 음역과 의역을 합쳐서(兼擧) 한 단어로 만든 것이다. 장충동 동국대학교 앞에서 많이 파는 돼지족발의 "족발"(足+발)과 같은 용례와 정확히 일치하는 것이다. 중국인이 이해한 선(禪)은 곧 정(定)인 것이다. 정신을 한군데로 정(定)하여 동요가 없게 하고 고요히 하여 잡념을 없애는 것이다. 이러한 마음의 상태를 위하여 인도인들은 요가수행의 자세들을 고안해낸 것이다. 그것은 인도의 오래된 문화적 관습에서 유래된 것이다. 싯달타는 오랫동안 이 선정주의에 몸을 의탁하여 보았다. 과연 선정의 삼매(三昧, 산스크리트어 samādhi의 음사, 三摩地라고도 쓴다)에 들어가게 되면 마음이 고요해지고, 호흡에 집중하면 개념적 잡사들이 사라지며, 정신이 집중되면서 모든 화기(火氣)들이 수그러들고 무념무상의 명경지심에 도달할 수 있었던 것이다. 그러나 문제는 이러한 선정의 경지는 몸의 한 상태일 뿐이며, 입정의 상태로써만 유지된다는 것이다. 선정을 풀고 마음이 흩어진 상태에 있으면 또 다시 잡념이 일어나고 자유롭지 못한 사태들이 끊임없이 나를 속박하게 된다는 것이다. 그래서 자꾸만 선정을 하여 심신평정의 희열을 맛보았지만, 그러한 정신적 자유를 누리고자 한다면 항상 입정(入定)의 상태로 있지 않으면 아니 된다.

이런 말을 하면 참으로 죄송스러울 수도 있겠지만, 나는 항상 선정에 잘 들어간다는 고승들을 보면, 아편쟁이들이 아편으로 도달하는 경지나, 술꾼들이 술로써 도달하는 몽롱한 경지나, 음악가들이 음악으로써 도달하는 경지나, 장인들이 자기 공력속에서 무념의 집중으로 도달하는 경지나 도무지 별차가 없다고 생각되는 것이다. 얼굴이 뇌리끼리해져서 선방만을 쑤시고 돌아다니는 선승이나 마리화나에 얼이 빠져 항상 써클실에 쑤셔 박혀있는 떨떨한 대학생들이나 별 차이가 없게 보일 수도 있다는 것이다. 그래도 선정은 약물을 쓰지 않을 뿐 아니라 부작용이 없는 건강한 방법이라고 하겠지만, 사실 끊임없이 아편의 연기 속에서 완벽한 정신적 자유를 구가하면서 1년을 살다죽은 사람이나, 선방만을 전전하면서 백년을 산 사람이나, 기나긴 윤회의 고리에서 본다면 가치판단의 우열을 가릴 길이 없을 수도 있다.

우리가 지금 혁명코자 하는 것은 우리의 삶이다. 선정이라는 절묘하고 오묘하고 심묘한 몸의 상태가 아니다. 우리 삶의 고뇌를 벗어나고자 하는 총체적 노력은 결코 선정지상주의로써는 아눅다라의 결실을 맺을 수 없었던 것이다.

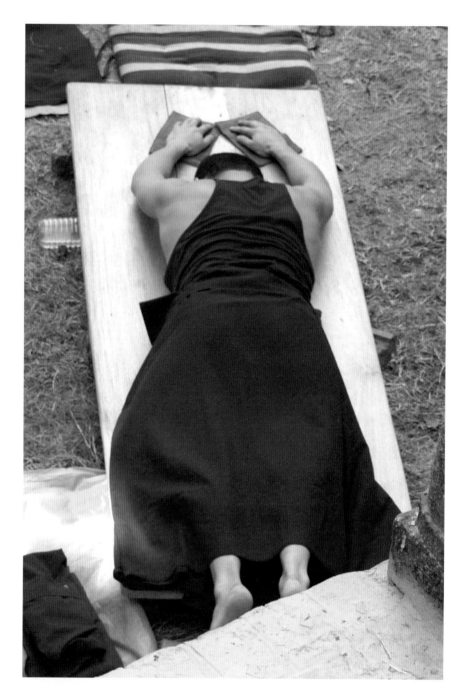

티벧스님들은 온
몸을 땅에 깔았다
가 일어나는 고행
을 계속한다. 이
것을 오체투지
(五體投地)라고
한다. 보드가야
대탑에서.

달라이라마와 도올의 만남(1)

고행과 신비주의

그 다음에 고행이란 무엇인가? 여기 이 고행이라는 논의를 하기 전에, 파미르고원을 중심으로 동쪽과 서남쪽으로 갈라지는 문화적 벨트의 대세를 놓고 이야기를 해보자! 중국의 황하를 중심으로 한 한자문명권의 사유 속에서는 인간을 바라보는 시각이 육체(body)와 영혼(soul)이라는 이원론적 틀을 가지고 있지 않다는 논의가 우선 지적될 수 있을 것이다. 억지로 그 신화적 세계로부터 심층구조를 논구해 들어간다면 물론 영과 육에 해당되는 어떤 분별이 있기는 하겠지만, 중국적 사유의 대세는 애초로부터 영육의 문제를 중심으로 발전하지 않았다. 고전한문 자체가 영육이라는 이원론을 중심으로 어휘형성이 되어 있지도 않았고 또 문법적으로도 영육이원론을 뒷받침할 어떤 구조를 제시하지 않는다.(주어 중심의 주부-술부적 어법이 아니다.)

그런데 반하여 파미르고원의 서쪽과 남쪽으로 펼쳐지는 광막한
지역, 저 그리스나 이집트로부터 소아시아, 팔레스타인, 바빌로니
아, 페르시아를 거쳐 인도문명에 이르기까지, 모두 한결같이 영육
이원론의 문제를 그 종교적 과제상황의 핵심으로 삼고 있는 것이
다. 모든 종교는 신비주의와 관련되어 있다. 모든 신비주의는 영
육이원의 전제를 가지고 있다. 대체적으로, 신비주의의 열쇠는 육
체가 쥐는 것이 아니라 영혼이 쥔다. 우주의 신비를 푸는 열쇠가
육체에서 해방된 자유로운 영혼의 비상의 품에 안겨져 있다고 보
는 것이다.

　　고행이란 무엇인가? 그것은 인간 욕망의 본산인 육체를 학대함
으로써, 극단적으로 말하자면 육체를 죽임으로써 영혼을 해방시
키는 것이다. 싯달타가 경험한 극단적 고행의 수련은 못이 뾰쭉뾰
쭉한 침대 위에 사람이 드러누워 못이 점점 살 속으로 박혀 들어
가 살이 썩어 들어가는 아픔 속에서도 태연한 마음의 평정을 유지
하는 그러한 극한적 한계상황이었다. 싯달타는 그러한 모든 극한
적 고행의 체험을 감내하였던 것이다. 여기서 우리가 확실히 깨달
아야 할 것은 모든 고행에는 영육이원론의 전제가 있다는 것이다.
하나님께 오체를 투지하면서 가냘프게 흐느끼는 아리따운 수녀님
의 독백 속에서도 우리는 영혼의 순결을 위하여 욕망으로 가득찬
육체의 불결을 저주하는 숨결을 느낄 수 있다. 그러나 우리가 영
혼의 자유를 위하여 육체를 저주해야만 한다면 그 극단은 육체의
소멸밖에는 없다. 육체의 소멸은 죽음이다. 영혼의 자유를 위하여

육체가 소멸해야 한다면 그러한 고행의 최선의 방법은 자살일 것이다. 라스베가스를 떠나가는 니콜라스 케이지가 택한 방법이 최선의 방법일런지도 모른다. 자살을 운운하지 않더라도 그러한 영혼의 해탈은 모든 인간에게 결국 찾아오고 만다. 모든 죽음은 무여열반이다. 무여열반은 고승들의 전유물은 아니다. 죽음이야말로 모든 것의 종말이라고 믿고 살아온 평범한 인간들의 죽음처럼 위대한 무여열반은 없을 것이다.

인도여인의 일상적 삶에서 가장 중요한 일 중의 하나는 땔감을 주어오는 것이다. 척박한 땅에서 에너지를 긁어모으는 이 여인의 고행도 쇼펜하우어의 말대로 결국 삶의 맹목적 의지의 표상이다.

여기에 또 다시 문제가 되는 것은 우리의 삶이다. 죽음도 결국 우리 삶의 문제이다. 우리의 삶이 궁극적으로 죽음을 위하여 존재하는 것은 아니다. 죽음은 영원히 우리 삶 속에 있다. 죽음은 끊임없이 이어지는 우리의 삶 속에서만 의미를 가지는 것이다. 싯달타가 해결하려고 했던 것은 죽음의 문제가 아니라 삶의 문제였다. 살아있기 때문에, 고통스러운 삶을 위하여 그는 몸부림쳤던 것이다.

이러한 몸부림 속에서 싯달타라는 한 인도청년이 깨달았던 것은 중도(madhyamā pratipad)였다. 안락의 방법으로도, 선정의 방법으로도, 고행의 방법으로도 접근될 수 없는 전혀 새로운 길! 그 길은 과연 무엇이었던가?

싯달타가 고행의 극한에서 고행을 부정했다는 사실은 그가 속했던 거대한 문명의 체계에 대한 일대 도전을 의미하는 것이었다. 그 도전이란, 영육이원론에 기초한 어떠한 수행으로도, 일자를 해방시키기 위하여 타자를 희생시키는 그러한 분열적·대립적 방법으로는 그가 소기했던 바 목샤(해탈)의 길을 발견할 수 없다는 실존적 결단이요 포효였다. 그가 깨달았던 것은 어떠한 기존의 방법, 기존의 사유나 행위의 외재적 기준에 의한 완성으로는 살아있는 인간의 문제를 근원적으로 해결할 수 없다는 사실이었다. 그가 지금 완성코자 하는 것은 새로운 인간이요, 새로운 삶이다. 그는 지금 거룩한 사두(sadhu, 힌두교에서 말하는 성자)가 되려는 것이 아니다. 그렇다면 그가 말하는 새로운 인간이란 도대체 무엇인가?

모든 미스티시즘(mysticism), 모든 신비한 우주에의 통찰은 일자(the One)를 전제로 한다. 그 일자를 브라흐만이라 해도 좋고, 야훼라 해도 좋고, 알라라 해도 좋고, 아뚬(Atum)이라 해도 좋고, 미트라(Mithra)라 해도 좋고, 아후라 마즈다(Ahura Mazdā)라 해도 좋고, 제우스라 해도 좋고, 그냥 하나님이라 해도 좋고, 하느님이라 해도 좋고, 또 라오쯔(老子)가 말하는 따오(道)라 해도 좋다. 모든 미스티시즘의 본질은 이 일자와 인간의 만남(Encounter)의 관계의 설정이다.

그리고 이러한 만남의 설정은 최소한 종교적 맥락에 있어서는, 반드시 바크티(bhakti)라는 심령적 실천의 분위기가 깔려있는 것이다. 바크티는 우리가 보통 "devotion"이라고 영역하기도 하고, "신애"(信愛)라고 한역하기도 하는데, 모든 종교는 사실 일자에 대한 사랑이나 헌신, 또는 믿음, 신앙으로 형성되는 것이다. 결국 모든 인류의 종교의 형태는 이 바크티의 관계를 어떻게 설정하느냐 하는 방식과 관련이 있다. 그 관계를 일자의 타자에로의 복종이나 복속의 일방적 관계로 설정하면 유대교나, 기독교나, 이슬람교와 같은 종교형태가 태어날 것이다. 그런데 이 바크티의 관계를 신과 인간, 이 양자가 서로 참여하는 방식으로 설정하면 우리가 알고 있는 유일신론(monotheism)의 범주를 뛰어넘는 갖가지 신비주의의 형태가 태어난다. 베다문학에서 잉태되어 우파니샤드의 철학으로 발전한 범아일여론(梵我一如論)도 유니크한 하나의 신비주의 형태라 할 수 있다. 그리고 최소한 이러한 범아일여론은 싯달타라는 인도청년이 태어날 수 있는 문화적 기층을 형성했을 뿐 아니라, 직접 간접으로 싯달타의 사유에 깊은 영향을 미쳤다.

11세기에 지어진 카쥬라호(Khajurāho)의 칸다리야 마하데바(Kaṇḍārya Mahādeva) 힌두사원의 전경. 이 사원은 1m가량의 조각품 872개로 휘덮여 있는데 에로티시즘의 역동적인 미투나상을 과시하고 있다. 아트만의 예찬은 나의 몸의 성적 에너지의 예찬으로 표현되기도 한다.

아트만과 브라흐만

아트만(ātman)이란 뭐 그렇게 대단한 말이 아니고, 산스크리트 어로 그냥 "나"라는 말이다. 그것을 한역하여 "我"라고 했는데 범 아일여론의 "아"가 곧 이 아트만이다. 아트만은 본시 "숨"(息)을 의미했다. 내가 살아있다는 것은 내가 숨쉰다는 뜻이다. 그 숨, 그 기의 주체를 아리안계 고대인도인들은 아트만이라 불렀던 것이 다.

지금 여러분들이 자신의 서재에 있을 법한 아무런 『독한사전』 을 하나 펼쳐서 "atmen"이라는 동사를 찾아보면, "숨쉬다, 호흡하 다"라는 뜻으로 해석되어 있을 것이다. 놀랍게도 이 독일어의 "아 트멘"과 산스크리트어의 "아트만"은 완전히 동근이다. 같은 뿌리 에서 생겨난 같은 계열의 단어이다. 히틀러가 자기네 게르만족만이 아리안의 적통을 이어받은 가장 우수한 민족이라는 신념 아래, 무자비한 유대인의 학살극을 자행했는데, 그러한 터무니없는 선민의식은 잘못된 것이지만 그러한 주장이 완벽하게 근거가 없는 것은 아니다. 우리가 산스크리트어를 인도유러피안어군 속에 집어넣는 것도 산스크리트어가 많은 유럽언어의 모어적 형태를 지니고 있기 때문이다. 그러니까 독일철학자 헤겔이나 칸트같은 사람들의 사유나 싯달타의 사유 속에는 같은 혈통과 같은 언어의 흐름이 있을 수 있다는, 황당하게 들리지만 전혀 황당치 않은 이야기들을 평심하게 받아들이지 않으면, 지금부터 전개되는 나의 흥미진진한 이야기들을 이해할 수가 없게 된다. 우리의 상상을 초월하여, 격리되어 발전된 듯이 보이는 인류의 고대문명들은 매우 격렬하게 교류된 하나의 문명이었다. 모든 문명은 오로지 교류로써만 생존한다. 사람도 매일매일 먹고(input) 싸지(output) 않으면 생존할 수 없듯이 문명도 매일매일 먹고 싸지 않으면 그냥 사멸해버리는 것이다.

인도의 가장 성스러운 도시, 바라나시의 어지러운 거리 모습. 문명은 끊임없이 움직인다.

그런데 고대인도인들의 질문은 이런 것이었다: 정말 내가 있느냐? 상주(常住)·단일(單一)·주재(主宰)하는 불변의 자아가 있는가? 그리고 그러한 자아가 있다면 그 자아는 무엇으로 구성되어 있는가? 사실 이러한 문제의식들은 칸트나 피히테, 헤겔의 철학에서도 동일하게 나타나는 질문들인 것이다. 베다의 사상가들이 이 우주의 외재적, 객관적, 궁극적 실재에 관심을 가졌다면 우파니샤드의 사상가들은 인간의 내재적 문제, 인간의 내면적 성찰, 즉 자아의 실상에 관하여 그 탐색의 방향을 전환하였던 것이다. 숨을 쉬고 있는 그 나가 과연 무엇인가? 깨어 있는 나가 진짜 나인가? 잠잘 때의 나가 진짜 나인가? 꿈꿀 때의 나가 진짜 나인가? 꿈도 안 꾸고 고요하게 숙면할 때의 나가 진짜 나인가?

우파니샤드의 사상가들은 주관과 객관이 분리된 상태에서의 모든 유한한 정신활동을 초월한 상태의 무분별한 희열, 일상체험이 아닌 요가와 같은 수행을 통하여 도달되는 신비적 엑스타시의 어떤 체험상태에서 아트만의 궁극적 실상을 발견하려고 노력하였던 것이다.

브라흐만(Brahman)이란 무엇인가? 우리는 현재 과학적 세계관에서 살고 있다. 신·불신을 막론하고, 즉 믿거나 말거나, 현대에 사는 모든 사람들은 과학의 법칙 같은 것을 믿는다. 과학의 법칙이란 우주의 나타난 모습들의 배후에서 그것을 작동시키고 있는 어떤 규칙 같은 것이다. 그리고 그러한 규칙들은 막연하지만 어떤 전체적 통일성 속에서 연관되어 작동되고 있다고 믿고 있다. 이러한 것을 믿는 동시에 우리는 예외 없이 과학이라는 종교를 신봉하고 있는 것이다.

달라이라마와 도올의 만남(1)

마찬가지로 옛날 사람들도 이 우주가 우리의 감관에 나타난 대로 실재하는 것이 아니라 그 감관에 나타난 현상(phenomena, appearance)의 배후에 어떤 궁극적 실재(ultimate reality)가 있다고 믿었다. 그러한 궁극적 실재는 우주의 모든 현상을 지배하는 통일적 힘(unifying Power)이라고 생각했다. 이러한 생각은 종교적 사상가들에 의하여 새로운 맥락으로 발전했다. 즉 모든 찬송가나 기도, 주술이나 언어의 배경에는 그것을 살아있게 만드는 어떤 신비적 힘(magical Power)이 있다. 고대인들은 이 힘을 그러한 우주의 통일적 원리로서의 궁극적 실재로서 생각하게 된 것이다. 영어에 "스펠"(spell)이란 말은 철자를 의미한다. 한 단어의 알파벳을 나열하는 것을 의미하는 것이다. 그런데 그것은 동시에 "주술을 건다," "마력을 발휘한다"는 뜻이 된다. 즉 제사장의 주술적 언어는 곧 우주의 신비로운 힘을 의미하는 것이다. 이러한 신비한 힘을 고대인도인들은 브라흐만(Brahman)이라 불렀다. 그리고 이러한 브라흐만의 주술적 힘을 구유한 제사장계급을 브라흐만계급이라 불렀고, 이들은 카스트의 최상층을 형성했다.

삼라만상이나 제신(諸神)들의 배후에 있는 이러한 근원적 실재나 힘을, 여호와 하나님이라 불러도 좋고, 브라흐만이라 불러도 좋고, 도(道)라 불러도 좋다. 그것은 사실 언어적 표현의 차이에 불과한 것이다. 그런데 우파니샤드의 사상가들은 아트만의 궁극적 실상 속에서 최종적으로 브라흐만을 발견하게 되는 것이다. 자아의 본질을 파고 들어가게 되면 나라고 하는 피상적인 개별적 차

시바신에게 봉헌된 칸다리야 마하데바 사원의 중심부, 시카라(shikhara)의 장엄한 모습. 이 돌 무더기 중심부 핵심에 지성소가 자리잡고 있다. 지성소에 이르기까지 다섯단계의 구조가 있다. 1) 현관(ardha mandapa) 2) 소집회당(mandapa) 3) 대집회당(mahamandapa) 4) 전실(antarala) 5) 지성소(garbha griha). 하늘을 찌르는 이 돌 무더기 전체가 하나의 거대한 남근형상이다. 시바가 살고 있는 카일라사 산의 모습이기도 하다.

별성이 사라지고 우주적인 브라흐만을 해후하게 되는 것이다. 아트만이 곧 브라흐만이요, 브라흐만이 곧 아트만이다. 내가 곧 우주요, 우주가 곧 나다. 나의 본질과 우주의 본질은 본시 하나였던 것이다. 마이크로 코스모스가 곧 매크로 코스모스요, 매크로 코스모스가 곧 마이크로 코스모스였던 것이다. 타트 트밤 아씨(tad tvam asi), 네가 곧 그것이요, 아함 브라흐마 아스미(aham brahma asmi), 내가 곧 브라흐만이다.[5]

내가 곧 브라흐만이라는 진리를 깨닫게 되는 자들은 모든 욕망과 두려움에서 해방된다. 자기 자신 이외에 따로 두려워 할 아무 대상도 존재할 수 없기 때문이다. 이러한 사람은 모든 업(까르마)으로부터 자유로와지며 따라서 생전에 해탈을 얻을 수 있다.

우리는 여기서 한번 생각해볼 필요가 있다. 이러한 위대한 철학이 이미 인도에 성숙되어 있었다면 도대체 싯달타라는 청년이 새롭게 얘기할 건덕지가 무엇이 있겠는가? 윤회와 해탈과 업에 대한 명쾌한 해답이 이미 완성되어 있지 아니 한가? 과연 싯달타가 말하는 중도란 무엇이며, 새로운 인간이란 무엇인가?

범아일여(梵我一如)라는 말을 잘 살펴보면, 여기에는 깊은 함정이 있음을 우리는 발견하게 된다. 브라흐만과 아트만이 하나라는 이 명제 자체로도 기독교와 같이 신에 대한 인간의 철저한 복속이나 복종, 그리고 일방적인 관계로만 설정된 의미맥락에서는 매우

요염한 자태를
자랑하는
인도의 신상.
사원의 외벽
중단(jangha)
부분.

이단적일 뿐 아니라, 이미 충분히 서구의 유일신관과는 다른 동방적 신비주의의 원융한 냄새를 풍긴다. 삼위일체를 주장하는 초기 기독교 정통파들의 주장대로 성자인 예수가 성부인 신과 한몸(*homoousion tō Patri*)이라고 한다면, 사실 모든 인간도 똑같이 신성을 구유하고 있어야 할 것이다. 예수에게 인성을 부여하는 한에 있어서, 그가 생멸의 대상인 한에 있어서, 그에게는 신성을 부여할 수 없다는 아리우스파들의 주장은 훨씬 더 명료하고 설득력이 있다. 아리우스의 주장은 예수라는 인간을 폄하하기 위한 것이 아니라, 신의 유니크한 절대성·불멸성·유일성·비창조성을 확보하기 위한 논리적 귀결이었다. 아리우스의 주장은 325년 5월의 니케아 종교회의(The Council of Nicaea)에서 이단으로 낙인찍히고 끝내 아리우스는 추방당하고 말았지만, 그를 저주한 콘스탄티누스 대제-아타나시우스 계열의 삼위일체파들의 주장은 한없이 애매한 것이다. 예수라는 인간에게 완벽한 신성을 부여했다면, 범아일여론의 가능성을 모든 인간에게 부여했어야 하는 것이다.[6)]

그런데 "범아일여론"을 자세히 뜯어보면, 범(梵)과 아(我), 그리고 일여(一如)라는 말 자체가 모두 심각한 문제성을 내포하고 있다. 우선 범아일여의 도식 속에는 어디까지나 범과 아가 독립적인 실체성을 가지고 있다는 것이다. 범과 아가 하나라는 얘기는 매우 신비스럽게 들리기는 하지만, 어디까지나 하나이기 전에 그 둘이 독립적으로 존재함을 전제로 하고 있는 것이다. 부부끼리 "당신과 나는 하나"라고 아무리 외쳐본들, 결국 당신은 당신이고 나는 나다. 당신과 나는 하나라는 감언이설의 내면에는 당신과 나의 실체적 분열이 심각하게 도사리고 있는 것이다.

그리고 이 "하나"라는 말, "일여"라는 말, 보다 정확하게는 "합일"이라는 말은 많은 문제점을 내포하고 있다. 모든 신비주의는 우주의 통일성·제일성·합법성의 원리로서 일자(一者, the One)를 전제로 하고 있다. 그래서 모든 신비주의자들은 이 일자와 교섭이 되는 루트를 발견하려고 애쓴다. 그리고 그러한 루트를 통해서 궁극에는 그 일자와 하나가 되는, 즉 합일이 되는 경지를 추구한다. 이것은 우리가 알고 있는 서양, 그레코-로망의 전통의 배면에도 깊게 깔려있는 흐름이다. 피타고라스(Pythagoras, c. 580~c. 500 BC)는 그러한 합일의 열쇠를 수학이라고 생각했다. 피타고라스는 수학자라기보다는 어떤 모종의 신비주의적 종단의 교주였으며, 그 자신 일차적으로 철저한 신비주의자였다. 수학의 특징은 경험적 사태에 의존하지 않고, 보리수 밑에서 사색하는 싯달타처럼, 인간의 사유의 능력만으로 어떤 우주의 신비를 풀어나가는 그러한 의식과정을 전개시킨다는 것이다. 골방에 쑤셔 박혀 복잡한 방정식을 푸느라고 골몰하고 있는 수학자

피타고라스 모습이 새겨진
5세기초 주화

야말로, 우주의 일자와 합일이 되기 위해서 산 속의 토굴 속에서 사색에 몰두하고 있는 신비주의자와 본질적으로 하등의 차이가

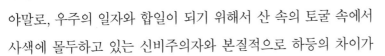

없다. 수학의 특징은 연역적 사유의 관계양상, 우리가 토톨로지(tautology)라 부르는 등식의 관계를 끊임없이 변주시켜 나가면서 최후의 어느 일순간에 그 전체가 일목요연하게 드러난다는 데 있다. 즉 수학이야말로 진정한 의미에서 "돈오"의 최초의 사례라 할 수 있다. 수학은 인간의 영혼에게 "돈오의 취하는 기쁨"(the intoxicating delight of sudden understanding)을 제공하는 것이다. 수학의 이론, 우리가 소위 "테오리아"(theoria)라고 부르는 이론은 과학의 이론이기 전에 일차적으로 "엑스타시적인 계시"(ecstatic revelation)였다. 최소한 피타고라스에게 있어서는 이러한 계시야말로 수학이 그에게 주는 의미였다.[7]

최근, 프린스턴 수학자 존 내쉬(John Nash)의 생애를 다룬 『뷰티풀 마인드』(Beautiful Mind)라는 영화가 말해주듯이, 수학적 환각과 노벨상의 차이는 백지장 한 장의 차이와도 같을 수 있는 것이다.

플라톤은 피타고라스의 적법적 후계자이다. 플라톤 자신이 여기저기서 파르메니데스나 피타고라스에게 진 빚을 깊은 존경심을 가지고 고백하고 있다. 파르메니데스는 희랍인들의 우주론적 구상을 추상적 사유의 길 위에 올려놓았다. 여기서 말하는 추상적 사유(abstract thought)는 외부의 사실에 관계없이 작동하는 마음의 원리 같은 것이다. 이렇게 감관적 세계를 무시하고 사유적 세계만을 리얼한 것으로 보는 이원론적 철학의 측면이 피타고라스의 수학에 의하여 더욱 체계화되었고, 플라톤의 이데아론으로 완성되기에 이른 것이다. 플라톤의 이데아론은 가시계(可視界)와 가사계(可思界)를 완전히 대립적인 구도 속에서 파악하는 이원론의 전형일 뿐 아니라, 그 배후에는, "동굴의 비유"가 말하는 바와 같이, 영혼의 해방주의라는 매우 신비주의적 색채가 짙게 깔려있다. 뿐만 아니라 초기기독교의 원형이라 말할 수 있는 영지주의(Gnosticism)도 인간을 영지(Gnosis)의 소유자로서 파악한다. 그리고 이 영지야말로 피타고라스의 수학처럼 우주의 모든 신비를 푸는 열쇠가 된다. 이 영지주의적 세계관의 배면에는 인간과 세계의 분열이 있고, 또 세계와 신의 분열이 있다. 신은 절대적 존재이며 빛(Light)이며 생명(Life)이며 영혼(Spirit)이며 로고스(Logos) 즉 말씀이다. 그런데 그것은 이 세계와 대적적으로 설정되어 있다. 신은 이 세계에 대하여 초월자이며, 이 세계의 창조주가 아니다. 창조주로서의 신은 하위개념의 데미어지(Demiurge)로서 따로 설정되어 있다. 이것은 바빌로니아의 천문학적 세계관과 복잡하게 얽혀있다. 그리고 초월적인 신의 다른 이름이 인간이다. 인간만이 순수한 신성의 가능성을 보유하고 있으며 신의 세계로 다시 복귀할 수 있는 영지를 소유하고 있는 것이다. 영지는 다름 아닌 "신에 대한 앎"(Knowledge of God)이다. 그리고 신과 인간을 중개하기 위하여 이 세계로 파견된 구세주의 도움을 받아 인간에 내재해 있는 그 앎에 대하여 각성을 하게 되고 다시 신과 융합될 수 있는 길을 발견하게 되는 것이다.

성스러운 사원에 왜 음탕한 미투나(Mithuna)상을 조각해 넣었을까? 여러 설이 있다. 1) 남성의 성적 에너지의 상징인 시바와 여성의 성적 에너지의 상징인 샤크티(Shakti)의 결합을 통해 해탈을 추구한 힌두밀교의 영향 2) 브라흐만 청년들을 성적으로 교육시키는 교본 3) 음탕한 우신(雨神) 인드라를 즐겁게 해주어 벼락을 예방 4) 단순한 신들의 유희 5) 신들을 위한 인간들의 유희 6) 도덕관념에 쩔지 않는 당시 생활상의 적나라한 표현 7) 불교와 대항키 위하여 신도를 끄는 선전효과 8) 출가자들의 대리만족. 가장 중요한 것은 인도인들은 성을 통하여 합일을 추구했다는 사실일 것이다. 쾌락의 극한상태에서 금욕의 정적을 유지하는 아이러니가 이 신상들의 모습 속에 서려 있다.

이러한 신비주의의 갖가지 형태들은 내가 말하는 파미르고원의 서남쪽, 그러니까 인도문명으로부터 페르시아, 바빌로니아, 팔레스타인, 이집트, 희랍 등의 제문명의 기저를 형성하는 것이며, 모든 원초적 샤마니즘적 사유와 결합되어 있는 것이다. 그리고 이러한 신비주의적 합일은 모든 바크티 신앙의 형태와 깊게 연관되어 있다.

그런데 내가 여기 제시하고자 하는 것은 바로 이런 모든 미스티시즘의 갖가지 형태들이 표방하는 "합일"(合一)이라는 말의 무의미성, 신화성, 기만성에 관한 싯달타의 통찰이다. 도대체 "합일"이라는 것이 무엇이냐? 흔히 도를 통했다 하는 사람들이 "나는 우주와 합일이 되었다," "나는 신비경 속에 주·객이 통합되는 합일의 경지를 체득했다"고 지껄이는 얘기들을 수없이 들을 수 있다. 그러나 이 세상에 합일이라는 말처럼 기만적인 말도 없다.

나는 우주와 합일되었다. 그래서? 도대체 뭐가 어쨌다는 거냐? 그런 주장을 하는 사람들을 우리는 우주적 인간으로서, 신적 인간으로서, 전지전능한 인간으로서 경배해야할 것인가? 나는 우주와 합일이 되었다. 나는 신과 합일이 되었다. 그래 정말 합일이 되었냐? 그래 우주와 합일이 되고 신과 합일이 되어보니 어떻더냐? 그것은 정말 말뿐인, 레토릭의 장난에 지나지 않는 것이다. 우리같은 인간도 수염이나 기르고 거룩하게 옷입고 앉아서 우주와 합일이 된 거룩한 경지를 획득했다고 체하기만 하면 그런 사기에 깜빡

죽을 사람들을 수일 내 수천수만 명을 모으기도 결코 어려운 일만은 아니다. 인간의 허약이란 바로 그러한 도사나 야바위꾼, 즉 아트만과 브라흐만이 합일되었다고 외쳐대는 인간들의 존재를 항시 갈망하고 있기 때문이다. 우리는 이 합일이라는 말의 함정에서 헤어나지 않으면 안된다. 이것은 모든 신비주의의 함정이다. 우리는 신의 멧신저라고 야바위치는 목사에게 사기를 당해서는 아니 되지만, 도통했다고 토굴 속에 앉아있는 스님에게 사기를 당해서도 아니 되는 것이다. 무엇보다도 더 중요한 것은 붓다, 바로 그 존재로부터 사기를 당해서는 아니 되는 것이다. 불행한 일은 불교에 대한 불철저한 이해로 우리 자신이 붓다를 사기꾼으로 만들고 있는 것이다. 붓다는 어느 새인가 우리의 의식 속에서 보리수나무 밑에서 홀로 도통한 사기꾼으로 변모되어 가고만 있는 것이다.

범아일여(梵我一如)라는 말, 내가 곧 브라흐만이라는 이러한 일체감의 확신의 표현의 언사에는 아트만과 브라흐만의 분열이 전제되어 있다. 다시 말해서 "합일"이라는 말의 가장 위험한 요소는 일자(一者)가 나의 존재로부터 타자화 되어 있다는 것이다. 다시 말해서 인간과 신의 분열이 전제되어 있다는 것이다. 이렇게 인간과 신의 분열이 전제되어 있는 한, 그 사이에는 영원히 바크티라는 신앙이 개재되지 않을 수 없고, 인간은 항상 비굴한 모습으로 다시 등장하지 않을 수 없다. 그렇다면 니이체나 20세기의 래디칼한 진보신학자들처럼 신을 죽여야 할까? 과연 신은 살해될 수 있는가? 이런 질문들이 이미 이천오륙백년 전에 인도의 청년 싯달타가 던졌던 질문들이다. 과연 신을 죽일 수 있는가? 물론 우리는 우리의 신화적 세계관 속에서 신을 살해할 수도 있다. 그러나 신은 결코 이런 방식으로는 살해되지 않는다. 이런 방식의 살해를 시도한 사람들은 모두 니이체처럼 정신분열증 환자가 되어 스러지고 말 뿐이다.

여기 우리가 이러한 논의를 계속하면 할수록 무의미해지는 이유는 바로 일자(一者)를 타자화시켰다는 최초의 함정을 자각하지 못하기 때문이다. 다시 말해서 신의 문제를 나 밖에 있는 어떤 존재의 양상으로 생각했다는 바로 그 존재의 분열에 모든 문제의 원천(Ursprung)이 있는 것이다.

이 문제를 해결하기 위하여 나의 존재 밖에 있는 신을 죽이려 한다면 또 다시 나의 존재의 분열은 점점 심화되어갈 뿐이다. 그러면 도대체 어떻게 해야 하는가? 이 난해한 질문에 대하여 중도의 자각을 얻는 순간, 싯달타는 외쳤을 것이다. 그 해결의 유일한 길은 바로 신을 생각하는 나, 나 아트만을 본질적으로 해소시켜 버리는 것이다. 상주·불변·단일의 동일자가 아트만으로서 나의 존재를 떠받치고 있다는 생각 그 자체를 해소시키는 것이다. 즉 아트만의 살해가 아닌, 아트만의 무화(無化)인 것이다. 이 아트만의 무화의 방향을 싯달타는 안아트만(anātman), 즉 "무아"(無我)라 불렀다. 이 싯달타의 무아의 각성이야말로 인류정신사에 시작도 끝도 없는 최대의 혁명이며, 최고의 비상이며, 모든 종교의 두 번

다시 있을 수 없는 코페르니쿠스적 전환이었다.

　중도의 자각을 얻고 나서 싯달타는 고행을 단념하였다. 그의 몸은 허약하고 쇠약하고 지칠대로 지쳐빠졌다. 그때 시타림에서 6년 간 고락을 같이 했던 카운디냐(憍陳如, Ājñāta Kauṇḍinya) 등 다섯 명의 친구들[8]은 깊은 배신감을 느꼈다. 고행의 방법을 통하여 같이 해탈을 득하고야 말리라 했던 사나이의 맹약이 깨져버리는 배신감, 그들은 싯달타의 중도(中道)의 깨달음을 고행의 어려움을 이겨내지 못하는 허약한 인간의 도중하차로만 생각했던 것이다. 이 다섯 명의 친구들은 고행을 중단하고 원기를 회복하기 위하여 구걸에 나서는 싯달타를 매우 경멸스러운 눈초리로 쳐다보면서 힌두전통의 가장 성스러운 도시인 카시(Kāshī), 그 빛의 성지(City of Light)인 바라나시(Vārānasī)를 향해 뒤도 돌아보지 않고 걸음을 재촉했다.[9] 그때 싯달타가 느꼈던 것은 과연 무엇이었을까?

다섯명의 친구들이 싯달타를 떠나 도착한 카시의 수행지, 나물 캐는 소녀가 그 곳 스투파에서 쑥을 캐고 있었다. 사진을 찍자 나에게 "텐 루피"를 달라고 손을 벌렸다.

싯달타의 고독

그것은 고독이었다. 그것은 사랑하는 친구들에게 배신감을 안 겨준 한 평범한 사나이의 서글픈 고독일 수도 있다. 그러나 그것 은 결코 그러한 고독이 아니었다. 자신의 중도의 깨달음의 계기가 도저히 그 친구들에게 전달될 수 없다는 소외된 느낌이 그 고독감 의 출발이었겠지만, 더 본질적인 것은 인간의 모든 고(苦)로부터 의 해탈이 궁극적으로 타인과 더불어 이루어질 수 없는 나 홀로만 의 문제일 수밖에 없다는 깨달음이 던져주는 황량한 고존(孤存)의 고독이었던 것이다.

후대의 전기작가들은 이 대목에서 다섯 친구들이 싯달타를 버 리고 떠나는 것으로 이야기를 꾸몄지만 실제 상황은 그렇지 않았 을 것이다. 싯달타 자신이 중도의 깨달음을 득한 후에 주체적으로 그들을 멀리 했을 것이다. 최소한 떠나가는 그들을 붙잡을 이유는 없었다. 이제 싯달타의 고행(苦行)은 고행(孤行)으로 바뀌어야만 했던 필연성이 그에게 있었던 것이다.

　매우 신화적인 기술이지만 싯달타가 마야부인의 오른쪽 옆구리에서 태어나자마자 일곱 발자국을 걸어가서 사방을 두루 살피고 한 손으로는 하늘을 가리키고 한 손으로는 땅을 가리키면서, "천상천하 유아독존"(天上天下, 唯我獨尊)이라고 외쳤다 한 이야기가 여기저기 기록되고 있다.[10] 얼핏 듣기에 매우 조잡하고, 저 혼자 잘났다고 까부는 어린아이의 망언처럼 들릴 뿐만 아니라, 불교의 연기론적 세계관에도 매우 어긋나는 발언이지만, 이것은 후에 이루어지는 성도, 다시 말해서 독존의 독각(獨覺)과 관련하여 지어진 설화일 것이다. 그것은 홀로 설 수밖에 없는 인간의 고독한 실존에 대한 자만과 자신감의 표현일 수도 있다.

　이제 싯달타는 홀로 갈 수밖에 없다. 저 니련선하를 건너 보이는 시커먼 시타림에서 저 광채서린 보드가야의 핍팔라나무(畢波羅樹, Pipphala-druma: 畢鉢羅樹, 畢撥樹라고도 쓴다)까지의 싯달타의 고행(孤行)은 인간의 모든 종교적 문제가 나 외에 있는 것이 아니라, 나의 고독한 존재의 내부에 있을 뿐이라는 문제의식의 일대전환, 목샤의 이상, 고해를 벗어던진 자유와 안락의 열반이 나 밖에 있는 것이 아니라 고독한 나 실존의 일심(一心)상에서 얻어질 수밖에 없다고 하는 깨달음을 의미하는 것이다. 이 깨달음이 바로

중도요, 이 깨달음이 바로 내가 말하고자 하는 뉴우 웨이(New Way)였다.

고행을 중단하고 그는 우선 체력을 회복하기로 결심하였다. 몸을 움직이려 했으나 꼼짝달싹 할 수가 없었다. 물을 좀 마시고 잠을 청하였다. 깊은 잠을 좀 자고 나니 몸과 마음이 편해지고 약간의 힘이 생겼다. 그래서 싯달타는 생각하였다.

"나의 육신은 너무도 피폐해 있다. 이 육신으로는 도저히 도를 성취할 수 없다. 비록 신통력으로 몸을 회복할 수 있다 하더라도 이는 일체 중생을 속이는 일이 될 것이니 부처가 도를 구하는 법이 아니다. 이제 나는 육신의 힘을 얻기에 좋은 음식을 받아 체력을 회복하여 다시 무상의 바른 깨달음의 길로 나아가리라 !"

이때 허공의 제신들이 싯달타가 마음 속으로 이와 같이 작정한 것을 알고 그에게 속삭였다.

"존자이시여 ! 굳이 음식을 구하실 필요가 없습니다. 우리가 이제 신통력으로 당신의 모공을 통하여 자미를 주입시켜 기력을 본래와 같이 회복시켜 음식을 드신 것과 다름없이 하겠습니다."

그러자 싯달타는 이를 거절하여 말하였다.

"나는 이미 음식을 먹지 않은지 오래되었소. 내 이 파리한 몸으로써 도를 얻는다면, 저 외도의 사람들은 나의 굶주림의 고행이야 말로 깨달음의 원인이라고 말할 것이요. 이것이야말로 모든 중생을 기만하는 일이요. 나는 반드시 세간의 음식을 받아 먹은 후에야 도를 이룰 것이요."

40일간 광야에서 시험받던 예수에게는 다음과 같은 사탄의 유혹이 들려왔다.

"그대, 왜 저 돌맹이들을 떡덩이로 만들지 아니 하는가?"

반드시 세간의 음식을 받아먹은 후에야 도를 이루겠다는 이 싯달타의 확언이야말로 바로 중도의 실천이요, 고독의 첫걸음이다. 고독한 인간들, 홀로 선 인간들이 다 평범하게 하는 짓을 하면서 그 가운데서 도를 이루겠다는 싯달타의 결의는 매우 새로운 길이다.

싯달타는 또 생각하였다.

"6년의 고행 끝에 옷이 모두 해져서 벌거숭이와 같구나. 이제 저 시체를 쌌던 분소의(糞掃衣)라도 갖추어 입으리라!"

싯달타는 시타림 속에 누더기 천이 딩굴어 있는 것을 보고 그것을 주워 니런선하의 하반으로 내려가서 빨고자 하였다. 이때 제석천(帝釋天)이 다가와 싯달타에게 속삭였다.

"존자여, 제가 그대를 위하여 이 헌 옷을 빨겠사오니 원컨대 허락하소서."

싯달타는 거절하였다.

"모든 사문들은 남을 시켜서 옷을 빨지 않소. 누더기를 스스로 빠는 것이 우리 출가자들의 법이요."

나이란쟈나 강에서
빨래하는
여인의 모습

분소의를 빨아 나뭇가지에 널은 싯달타는 나이란쟈나강에 들어가 목욕을 하였다. 싯달타는 목욕하기를 마쳤으나 몸이 워낙 쇠약한지라 물결에 밀려 혼자서는 도저히 강기슭으로 올라 올 수가 없었다. 이 상황을 경(經)들은 마왕 파순이 강기슭을 갑자기 고준(高峻)한 절벽으로 변모시켰다고 신화적으로 기술하고 있다. 이때 그 강변에 있던 아사나(阿斯那) 나무의 신이 나뭇가지 하나를 휘어 낮게 드리우자 싯달타는 그것을 잡고 가까스로 언덕으로 올라올 수가 있었다. 그리고 분소의를 걸쳤다.(浣衣已訖, 入池澡浴。 是時魔王波旬變其池岸極令高峻。池邊有樹名阿斯那。是時樹神按樹令低。菩薩攀枝得上池[河]岸。於彼樹下自納故衣。)[11]

나는 이 대목을 읽을 때마다 눈물이 서린다. 극심한 고행 끝에 고행을 단념한 싯달타, 사랑하던 친구들과 이별하고, 보통사람들이 먹는 음식을 동냥해먹으리라 결심하고, 길거리에 버려진 누더기 천을 주워 안간힘을 써서 그것을 홀로 빨고, 강물에 몸

을 담가 6년간 누적된 때를 씻었으나, 몸이 휘영청 가눌 수 없어 강기슭에 올라 올 수조차 없는 싯달타, 그 얼마나 고독한 한 인간의 모습인가? 나무신조차 그를 가엾게 여겨 나뭇가지 하나를 휘어 낮게 드리웠다고 신화적으로 기술되어 있지만, 그것은 나뭇가지 하나를 휘어잡을 수 없는 한 인간의 기력없는 극단적 모습을 아름답게 표현한 것이다.

인도인의 옷은 기다란 천이다. 그것을 휘감아 입는 것이다. 빨래한 후에는 강둑에 기다랗게 널어서 말린다. 싯달타도 이렇게 분소의를 빨아 입었을 것이다.

싯달타와 수자타

이때, 허기의 극도에 달한 고독한 싯달타에게 우루벨라(Uruvelā, 優留毘羅)[12] 마을로부터의 한 아리따운 처녀가 등장한다. 그 처녀가 우연히 강가나 강 주변의 수풀로 오게 되었는지, 싯달타가 우루벨라마을로 들어가 공양을 청했는지는 알 수가 없다. 이 부분의 기술도 경에 따라 복잡다단한 전승이 펼쳐지고 있기 때문이다. 이 처녀의 이름은 불교도들에게는 너무도 유명한 수자타(Sujata, 須闍多)! 싯달타에게 아뇩다라삼먁삼보리(阿耨多羅三藐三菩提, anuttarasamyaksambodhi)의 대각을 이룰 수 있는 최초의 에너지를 제공한 유미(乳糜, madhupayasa)죽을 공양할 수 있는 행운을 얻었던 여인이었다. 전승에 따라서는 그 최초의 공양자는 수자타가 아닌 그냥 "두 여인"으로 기술이 되기도 하고, 난다와 난다발라(Nanda & Nandabalā), 혹은 난다와 우빠난다(Nanda & Upananda)라는 두 자매로 기술이 되기도 한다. 이 두 자매는 소치는 소녀(牧牛女)들로 전하여지고 있다.[13] 싯달타와 수자타의 해후를 둘러싼 이야기는, 『오딧세우스』에서 호머가 그리고 있는, 오딧세우스와 스케리아의 왕 아루키노오스의 딸, 나우시카(Nausikaa, *Ναυσικάα*)와의 사이에서 벌어지는 설화와 지극히 유사한 공통점을 지니고 있다.(미야자키 하야오[宮崎駿]는 이러한 신화에서 힌트를 얻어 『바람의 계곡 나우시카』라는 걸작 만화영화를 만들었다.)

싯달타는 수자타에게서 귀한 유미죽 한 그릇을 얻어, 우루벨라 마을을 나와 다시 나이란쟈나강변으로 나아가, 그곳에서 수염깎고 머리깎고 목욕재계하고 용왕의 왕비(河中龍妃)가 마련한 깨끗한 자리에 앉아, 그 유미죽을 들고 순식간에 32상을 회복하였다고 기술되어 있다. 여기 32상이란 매우 신화적인 싯달타의 용모에 관한 양식적 표현인데, 결국 32상을 회복하였다 하는 것은 그가 건강한 원래 자기 모습을 회복하였다는 뜻이다. 시타림에서 6년 간의 고행 끝에 수척해진 몸이 유미죽 한 그릇에 32상으로 회복될 수는 없을 것이다. 내가 생각키에 싯달타는 우루벨라촌에 들어가 그 동네에서 가장 부유한 자의 집에서 몇 달을 기거하면서 죽과 밥의 공양을 얻어, 완벽한 자기 몸 컨디션을 회복한 연후에, 지극한 정상인으로서 다시 아뇩다라삼먁삼보리의 무상정등정각을 얻을 수 있는 사색의 자리를 마련하러 떠났을 것이다.

그는 우선 우루벨라 마을을 떠나 자신의 고행의 장소였던 시타

우루벨라 마을

림으로 갔다. 시타림을 굽어보고 있는 매우 각박한 석산이 하나 있다. 싯달타는 그 각박한 석산으로 올라갔다. 그가 정각을 얻기 전에 올랐던 산이라 하여 우리는 그 산을 전정각산(前正覺山, Prag Bodhigiri)이라고 부른다. 그런데 싯달타가 그 산의 정상에 올라서자, 온 산이 진동하면서 난리를 쳤다. 싯달타가 여태까지 닦아 온 공덕의 무게에 짓눌린 산신(山神)들이 쇼크를 먹고 날뛰었던 것이다. 산신들은 싯달타에게 저기 저 강 건너 평온한 땅, 핍팔라나무가 서있는 자리를 권고하게 된다. 한마디로 전정각산은 싯달타의

안개 속의
낙타 봉우리가
전정각산이다.
유영굴이 있는
봉우리에서 촬영

현재 티벳사원
경내에 있는
유영굴 입구.
돌 벼랑 밑에
있는 까만 문으로
기어들어가야
한다.

성도의 자리가 아니었던 것이다. 우리말로
하자면, 싯달타는 풍수지리를 제대로 볼
줄 아는 사람이었다. 명당이란 곧 자기 몸
의 기와 산세의 기가 화합되는 곳이다. 싯
달타는 전정각산 산정에서 그 불화의 기를
감지했던 것이다. 지금도 그곳을 가보면
전정각산은 역시 고행의 장소는 될지언정,
중도의 자리는 아니라는 것을 금방 느낄 수 있다. 심히 각박한 석
산이다. 그러나 이 산의 동굴에서 살던 한 용(Nāga)은 자신의 동굴
안에서 싯달타가 성도하기를 원했고 그가 떠나기로 한 결단을 매
우 아쉬워했다. 그래서 싯달타는 그 굴속에 들어가 자기 그림자만
을 남겨놓고 떠났다. 지금도 그 굴이 남아있는데 이러한 연유로
우리는 그 굴을 유영굴(留影窟)이라 부른다. 지금은 티벳사원이
그 옆에 자리잡고 있다.

유영굴 내부. 유영굴
이야기는 우리나라
『삼국유사』, 권제3,
탑상제4, 어산불영
(魚山佛影)조에도 재
미있게 기술되어 있
다. 일연스님의 세심
한 마음과 국제적 감
각을 읽을 수 있다.

이윽고 싯달타는 핍팔라나무의 자리에 이르렀다. 이때 싯달타는 고민에 빠졌다. 과연 과거의 보살들은 어떤 자리에 어떻게 앉아서 무상정등정각을 성취하였을꼬?

이때 우연찮게 옆에서 어느 아동이 싯달타의 우편에서 풀을 베고 있었다. 신화적 기술에 의하면 이 아동은 바로 석제환인(釋帝桓因)이 변신하여 나타난 것이라고 한다. 석제환인의 원어는 "샤크라 데바남 인드라"(Sakra-devānāṃ Indra, 釋迦提婆因陀羅)인데, 이때 샤크라(釋)는 "釋迦羅"라고도 음사하는데 "위용이 있다," "힘이 있다," "강하다"는 뜻으로 신에 대한 존칭의 접두어로 쓰이고 있다. 여기 "뎨환"(帝桓)은 "deva"에서 온 것으로 하늘을 말하는 것이요 신을 말하는 것이다. "인"(因)은 인드라(Indra, 因陀羅)의 약어이다. 인드라는 불교이전부터 인도의 베다문학에서 천둥과 폭풍의 신(God of thunderbolt and storm)으로 여겨져 왔으며 오른손에는 항상 금강저(Vajra)를 들고 있는 것이 그

오른손에 금강저를 들고 있는 인드라의 모습. 번개로 위용을 과시하는 희랍신화의 제우스와 상통한다. 우리 단군신화의 조형. 상서로운 동물을 타고 있다. 이 동물이 우리 신화에서는 곰이 되었을 것이다.

특징이다. 인도신화에서는 바루나(Varuna)신과 항상 라이벌관계에 있는데, 아마도 인드라는 브라흐만계급을 대변하고 바루나는 크샤트리아계급을 대변하는 듯이 보인다. 후대 불교신화 속에서는 인드라는 불법의 수호신으로서 수미산 꼭대기에 있는 도리천의 주신인 제석천(帝釋天)으로 변모한다.

  내가 여기서 이러한 해설을 좀 장황하게 말하고 있는 뜻은, 바로 우리나라 단군신화에서 웅녀와 결혼한 단군의 아버지인 환웅(桓雄)의 아버지가 환인(桓因)이라는 사실을 좀 상기할 필요가 있다는 것이다. 스님 일연 자신이 환인을 말하면서 "위제석야"(謂帝釋也。)라고 주석을 달아놓고 있는데, 바로 환인의 환은 데바를 말한 것이요, 인은 인드라를 말한 것임이 확연해진다. 이 환인이 저 하늘 꼭대기에서 삼위태백(三危太伯)을 굽어보면서 홍익인간(弘益

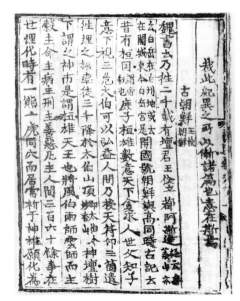

『삼국유사』 권제1, 기이(紀異)제2, 고조선(古朝鮮)조. 서울대학교 중앙도서관 소장 중종(中宗)연간 고판본

人間)의 뜻을 펴라하고 그 아들 환웅에게 천부인(天符印) 3개를 주어 신단수(神壇樹) 밑으로 내려가게 하였던 것이다. 그가 거느리고 내려온 신하들이 풍백(風伯)·우사(雨師)·운사(雲師)였으니 이 모두 인도신화에서 인드라가 폭풍과 천둥의 신이라 했던 그 성격규정을 그대로 계승하고 있음을 알 수 있다. 베다문학에서 인드라는 브리뜨라(Vritra)라는 신과 항상 대결하는데 바로 브리뜨라는 가뭄의 신이다. 가뭄으로부터 인간세를 보호하는 인드라의 신성(神性)이야말로 조선의 땅에 풍요로운 신시를 펼칠 수 있게 하는 신으로서 적격이었던 것이다. 환웅이라는 이름은 환인에서 아들이라는 뜻으로 인을 웅으로 변조시켜 탄생된 것이다. 알고 보면 이 모든 신화들이 이렇게 교류된 것이고, 비록 그것이 표현상의 가차(假借)일 수는 있으나, 너무 신화를 국수주의적으로 해석하는 태도는 모두 문명의 본질에 어긋나는 짓이다. 인드라 제석신앙은 일연이 살았던 불교국가, 고려조에 매우 성행했던 종교적 프랙티스였다. 『고려사』(高麗史)에서 그 유례를 쉽게 찾아볼 수 있는 것이다.

자아! 이제 싯달타는 어떻게 되었을까? 오른편에서 풀을 베고 있던 아동은 싯달타에게서 가깝지도 멀지도 않은 곳에서 서있었다. 그가 들고 있었던 풀은 푸른빛이 감도는 짙은 초록색에, 공작새의 꼬리와도 같이 부드럽고 연하여 그 사랑스럽기가 마치 카칠린다까(迦尸迦衣)새의 깃털로 만든 아름다운 비단결과도 같았다. 그 풍겨 나오는 그윽한 향기가 오른쪽으로 오른쪽으로 감돌면서

자오록하였다. 그 미묘한 풀을 들고 있는 아동에게 싯달타는 다가
갔다.

"그대의 이름이 무엇이뇨?"

"저의 이름은 길상(吉祥)이외다."

"그것 참 신묘롭구나! 나 자신 길상함을 얻으러 여기까지 왔는
데, 그 길상함을 여기 그대로부터 얻는 것 같구나. 이름이 길상인
그대가 내 앞에 섰으니 이제 나는 틀림없이 아뇩다라삼먁삼보리
를 증득하리로다."

그때 이 길상이 무어라 말하는데 천상에서 들려오는 이루 형언
할 수 없는 맑고 깨끗한 칼라빙카(迦陵頻伽) 새소리와도 같았다.

"아름다운 목소리를 가진 그대여! 나에게 그 청정한 풀을 줄 수
있느뇨?"

이렇게 해서 싯달타는 길상에게서 얻은 풀로 자리를 엮은 후, 나
무줄기를 등에 대고 동쪽을 향해 앉았다. 그리고 백 개의 벼락이
한꺼번에 떨어져도 부스러지거나 움찔하지도 않을 자세로 가부좌
를 틀었다. 그리고 싯달타는 포효한다.

보드가야의 금강보좌.
이것이 핍팔라나무 즉
보리수이다. 싯달타는
바로 이 자리에 가부좌
를 틀었다.

내 지금으로부터 이 자리에서 무상의 큰 지혜를 얻지 않으면 이
몸이 다 마르고 부서지더라도 결단코 이 가부좌를 풀지 않으리!

我今若不證, 無上大菩提;

寧可碎是身, 終不起此座。[14]

붓다의 세가지 의미

　우리가 보통 "소"(cow)라고 하면 그 소는 대강 대별하여 다음의 세 가지 뜻을 지닌다고 말할 수 있을 것이다. 소는 첫째 갑돌이네 집에 있는 그 소, 즉 특정한 역사적 시공에 살아 움직이는 개체로서의 소를 특칭하여 일컫는 말일 것이다(a particular cow). 둘째로 우리가 생각할 수 있는 것은 모든 소, 과거에도 있었고 현재에도 있고 미래에도 있을 모든 소를 전칭하여 부르는 말일 것이다(all cow). 그리고 셋째로는 모든 소가 공통으로 지니고 있는 소됨, 그러니까 소의 모든 속성을 통칭하여 부르는 말이다(cowness).

　지금 우리가 붓다라는 말을 쓸 때, 이 붓다라는 말 또한 이와 같이 우리의 일상언어가 뜻하는 세 가지의 의미를 지니고 있다는 사실을 새삼 새롭게 발견할 수 있다.("부처"라는 우리말은 "붓다"에서 받침이 탈락되면서 자연스러운 발음으로 변화한 형태이다.) 첫째, 붓다는 한 시대, 한 공간에서 역사적으로 실존했던 한 인간, 고타마 싯달타(산스크리트어로는 Gautama Siddhārtha, 팔리어로는 Gotama Siddhattha)를 가리킨다. 석가모니, 즉 샤캬무니(Sākya-muni)는 "샤캬족의 성자"라는 뜻이다. 석가족에서 배출된 성자라는 의미에서 추앙된 이름이다. 그러니까 석가(Sākya, 팔리어 Sākiya)는 종족의 이름이다. 그런데 이 석가종족은 또 다시 여러 씨족으로 구성되어 있는데 싯달타가 속해 있는 씨족의 이름이 바로 고타마이다. 그러니까 고타마란 것은 우리말의 성씨에 해당되는 것이다. 그러니까 "광산김씨" 정도에 해당되는 표현이다. 그리고 그가 탄생했을 때 정반왕 부친이 지어준 이름 즉 명(名)에 해당되는 것이 싯달타였다. 싯달타란 "그 목적을 성취한 사람"(he whose aims are fulfilled.) 이란 뜻이다. 이미 싯달타라는 이름 속엔 그의 보리수하의 성도에 대한 예언이 담겨져 있다. 『수행본기경』에는 그가 룸비니에서 탄생하여 카필라궁전으로 교룡거를 타고 돌아왔을 때 왕이 궁전 문 밖으로 마중을 나왔는데, 그때 모여든 범지(梵志, Brahmacārin)와 상사(相師, 관상쟁이)들이 그의 탄생을 경하하며 만세를 부르고, 이름을 지어 싯달타라 소리치는 장면이 묘사되어 있다.[15] 싯달타의 음역을 보통 "실달"(悉達)이라 하는데 이것 역시 "모두 이루었다" 라는 뜻을 교묘하게 내포하고 있다. 예수가 십자가 위에서 한 마지막 말과도 상통하는 표현이다.("다 이루었다." 「요한복음」 19 : 30.)

이 역사적으로 실존했던 싯달타, 카필라성에서 태어나 결혼해

서 잘 살다가, 29세에 출가하여 35세에 성도하고, 45년간 종교활동을 하다가 80세에 죽었다는 한 사나이, 그가 이 땅에서 시공을 점유한 하나의 존재인 한에 있어서는 분명 나, 도올 김용옥과 똑같은 호모사피엔스에 속하는 한 사람일 뿐이다. 그 이상도 그 이하도 아니다. 그가 응신(應身)이든, 화신(化身)이든, 보신(報身)이든, 응화신(應化身)이든지를 막론하고 그는 나와 같은 색신(色身, rūpa-kāya)을 보유한 한 인간일 뿐이다. 이렇게 역사적으로 실존했던 색신(色身)의 붓다를 우리는, 역사적 예수(historical Jesus)와 같은 용법의 맥락에 따라, 역사적 붓다(historical Buddha)라고 하자!

카필라성에서 놀고 있는 동네 여인들. 이들이야말로 고타마씨족의 후예일까?

우리가 근본불교나 원시불교에 관심을 갖는 것은 바로 이 역사적 붓다를 전제로 함에 있어서만 의미를 갖는 것이다. 역사적 붓다가 애초에 실존하지 않았던 픽션이라고 한다면 근본불교니 원시불교니 하는 논의가 근본적으로 무의미한 것이다. 우리가 삼장의 비나야나 니까야·아가마에 관심을 갖는 것은 바로 이러한 자료들이 그 역사적 붓다의 실상에 후대의 대승경전보다 더 접근하는 단서를 제공한다고 믿기 때문이다.

우리말에 다음과 같은 재미있는 속담이 하나 있다.

호랑이는 죽어서 가죽을 남기고, 사람은 죽어서 이름을 남긴다.

붓다는 죽기 전에 슬퍼하는 제자들에게 다음과 같이 말하였다.

내가 평생 설하고 가르친 법(法)과 율(律)이 있으니, 이것이 내가 죽은 후에는 그대들의 스승이 되리라.

그리고 또 『증일아함경』(增壹阿含經) 「서품」(序品)에 말하기를,

우리의 스승 석가께서 이 세상에 나오신 세월은 극히 짧은 것이었다. 육체(肉體)는 비록 갔지만 그 법신(法身)은 살아 있으니, 마땅히 그 법이 단절되지 않도록 해야 하리…… 여래의 법신(法身)은 썩는 법이 없으니 영원히 이 세상에 남아 끊어지지 않으리.[16]

본시 삼신(三身)이니, 사신(四身)이니, 십신(十身)이니 하는 애매모호하고 번쇄한 이론들이 다 후대에 생겨난 것이요, 초기불교와는 전혀 관련이 없는 것이다. 그것은 세친(世親, Vasubandhu)이 활약하던 AD 4·5세기, 그러니까 대승불교 중기에나 성립한 것이다. 초기불교에는 색신(色身, rūpa-kāya)과 법신(法身, dharma-kāya), 이 두 가지 구분밖에는 없었다. 그것도 정형화된 개념이 아니고 부처님 말씀에 자연스럽게 배어나온 소박한 말들이었다.

죽은 호랑이는 바로 그 호랑이의 육신(肉身)이다. 그 육신이 곧 색신(色身)이다. 그런데 그 호랑이가 남긴 가죽(상징적 의미체계 속에서)은 곧 호랑이의 법신(法身)이다. 여기 인용된 대로 붓다의 법신은 붓다가 남긴 법(法)이요 율(律)이다. 법은 경장에 수록되었고, 율은 율장에 수록된 것이다. 그리고 이러한 법신도 어떠한 대단한 이론으로서 제시된 것이 아니라, 인간 붓다가 죽어가면서 그의 죽음을 서러워하는 주변의 친구들이나 제자들을 위로하기 위하여 한 말이다. 정말 붓다가 대단히 신통력이 뛰어나고 시공을 초월하는 불멸의 영력의 소유자라 했다면, 붓다의 죽음은 신비화되었을 것이다. 예수처럼 죽었다 곧 부활하여 애통해하는 제자들 앞에 다시 나타났든지, 무드셀라처럼 몇 백년을 살았든지 했을 것이다. 그러나 붓다는, 그 위대한 붓다는 45년간 주변의 사람들을 가르치고 그냥 보통사람처럼, 아주 평범한 보통사람처럼, 파바(波婆, 현 파질나가르 Fazilnagar)마을의 대장장이 아들 춘다(純陀, Chunda)가 공양한 수끄라하 맛따빠(sūkraha mattapah)라는 상한 돼지고기 요리를 잘못 먹고 심한 이질설사를 일으키며, 쿠시나가르 (拘尸那羅, Kuśīnagar)라는 조그만 마을에서 숨을 거두었다.

그를 떠나지 않고 곁에서 25년간이나 시봉했던 제자 아난(阿難, 阿難陀, Ānanda)은 육신이 쇠진하여 죽어가는 붓다를 향해 애통해하며 울부짖는다.

"선생님! 선생님! 우리 선생님은 어찌하여 이렇게 빨리도 가시려 하오니이까? 큰 법이 가리우고 세간은 눈이 멀어 버리지 않겠사오니이까? 선생님의 법력으로 열반에 드시지 마옵소서! 세존께서는 부디 1겁 동안 이 세상에 머무소서! 보다 더 많은 사람들의 무지를 깨우쳐 주옵소서. 세상 사람들을 연민하시와 인간들과 신들의 복리와 안락을 위해."

그리고 세존이 설법하시는 동안에도 슬픔을 못 이기고 슬며시 정사 뒷켠에서 몸을 숨기고 흐느낀다.

"아! 나는 배워야 할 것, 이루어야 할 것이 아직도 많다. 그런데 저 자애로움이 깊으신 큰 스승님께서 나를 두고 가시려 하다니!"

라고 문고리를 부여잡고 숨소리를 죽여가며 절규한다.

이러한 아난에게 붓다는 다음과 같이 말한다.

와불(臥佛)이라는 말은 있을 수 없다. 모로 누운 부처는 반드시 열반에 드는 싯달타의 죽음의 모습을 그리고 있다. 우리말에 와불은 드러누워 잠자는 부처로 오해될 수가 있다. 모든 와불은 열반상일 뿐이다. 붓다의 열반지인 쿠시나가르에는 AD 417년 꾸마라굽타 1세 (Kumaragupta Ⅰ) 때 조성된 열반상이 장중한 모습을 드리우고 있다. 내가 목격한 와불중에서는 가장 아름답고 리얼한 걸품이었다. 보통 옷을 입혀 놓았는데 옷을 벗기고 사진 찍느라고 100 루피를 주어야 했다.

"아난다여! 나의 죽음을 한탄하거나 슬퍼하지 말라. 아난다여! 내가 항상 말하지 않았더냐? 아무리 사랑하고 마음에 맞는 사람일지라도 마침내는 달라지는 상태, 별리할 수밖에 없는 상태가 찾아오는 것이라고. 이 세상에 태어난 사람은 반드시 죽지 않을 수가 없는 것이다. 어찌 피할 수 있겠느냐? 아난다여! 태어나고 만들어지고 무너지는 것, 그 무너져 가는 것에 대하여 아무리 무너지지 말라고 만류해도, 그것은 순리에 맞지 않는 것이다."

그리고 당부한다.

"제자들이여! 자신을 의지처로 하고 자신에게 귀의할 것이며 타인을 귀의처로 하지 말라. 또 진리를 의지처로 하고 진리에 귀의할 것이며, 다른 것에 귀의하지 말라."[17]

그리고는 다시 흐느끼는 아난을 위로한다.

"아난다여! 명심하여라. 나 여래의 수명은 너무도 길다. 왜 그런 줄 아느냐? 나의 육신(肉身)은 썩어 없어질지라도, 내 법신(法身)은 여기 이 땅에 살아남아 너희들과 항상 같이 하리라. 이 뜻을 잘 새기어 봉행하거라."[18]

내 육신은 썩어 없어질지라도 내가 너에게 전하여 준 진리는 영원하리. 여기 육신(肉身)과 법신(法身)이라는 개념이 이미 아가마에 등장하고 있지만 본래는 세상을 하직하는 붓다가 주변의 작별을 서러워하는 사람들을 위로하기 위하여 던진 매우 상식적인 말이었다. "에지프트의 왕처럼 미이라가 됐을 때, 어떤 외롭고 가난한 시인이 밤늦게 시를 쓰다가 쇠주를 마실 때, 그의 안주가 되어도 좋다, 그의 시가 되어도 좋다, 짝짝 찢어지어 내 몸은 없어질지라도 내 이름만 남아있으리라"고 한 양명문 시 속의 명태의 고백처럼 던진 이 한마디가, 후대 불교사에 엄청난 문제를 던지는 이론적 과제상황으로 등장했던 것이다.

둘째, 붓다(Buddha)란 인도사상사에서 매우 넓은 함의를 지니는 일반명사로 쓰여진 말이었으며, 고타마 싯달타라는 역사적 개인이 독점한 칭호는 아니었다. 붓다란 표현은 예를 들면 쟈이나교의 창시자인 마하비라(Mahāvīra)에게도 동일하게 적용된다. 사실 붓다의 사후 초기교단에 있어서는 싯달타를 부르는 칭호로서 "붓다"라는 말이 사용되지 않았다. 제1차·제2차 결집 때까지만 해도 가장 넓게 쓰인 말은 "복스러운 성자"라는 의미의 바가바트(bhagavat, bhagavan)나 평범한 "선생님"이라는 의미의 샤스뜨리(śāstr)였다.[19] 바가바트는 이 세상에서 존경을 받을 만한 분이라는 의미맥락에서 세존(世尊)으로 한역되었는데, 이것은 특별한 칭호가 아니고 당시 인도사회에서 옛부터 "선생님"을 부를 때 가장 많이 쓰던 칭호였다. 우리나라 동학의 예만 들더라도, 최수운을 생전에 따르는 사람들이 부르던 말은 그냥 "선생님," "큰 선생님"일 뿐이었다. 후대에 천도교가 조직되면서, 대신사(大神師)니 하는 등등의 말들이 만들어지고 조장되었던 것이다. 붓다 또한 팔순 노인 싯달타의 사후 한참 후에서부터 채용된 말이었지만, 그 말이 일단 사용되고부터는 역사적 싯달타를 가리키는 가장 유력한 칭호가 되었을 뿐 아니라, 그것은 불교의 근본사상의 심층구조를 형성하는 핵심적 개념으로 자리잡게 되었다. 그러나 붓다는 싯달타 일인에게만 국한된 말이 아니었다. 붓다 이전에도 수없는 붓다가 있었으며 붓다의 사후에도 수없는 붓다가 있을 것이다. 싯달타 개인의 기나긴 과거 윤회의 과정에서 현현되었던 캐릭터들은 본생담(本生譚, the Jātaka literature)을 형성하는 보살(bodhisattva)들이다. 보살이라는 개념이 대승불교에서 처음으로 조어된 것은 아니다. 소승불교에서도 "보살"이라는 말은 쓰였다. 그러나 대승의 보살이 모든 중생들의 성불의 가능성을 의미하는 개방적 개념임에 반하여, 소승의 보살은 "앞으로 부처가 될 사람"(a Buddha-to-be)이라는 의미로만 쓰인 말이었으며, 그것은 싯달타 전생의 인물들(Sākyamuni's previous existences)에게 국한된 개념이었다. 그리고 이 보살 중의 한 사람인 능인(能仁)보살이 싯달타로 태어나 성도하리라는 것을 인증하는 부처로서의 디팜카라(Dīpaṃkara, 燃燈佛, 錠光佛)와 같은 캐릭터도 같이 등장하고 있다.[20]

싯달타가 붓다가 되어 반열반에 들어 해탈하였다는 뜻은, 그가 또 다시 윤회의 굴레 속에 끼어 들어 다시 태어날 수 있는 논리적 가능성이 배제된다는 것을 의미한다. 그는 해탈했기 때문에 또 다시 인간세에 우리와 같은 형상으로 태어날 가능성이 없는 것이다. 다시 말해서 붓다는 환생할 수가 없는 것이다. 따라서 미래불은 싯달타의 화신일 수는 없다. 그러나 우리가 살고 있는 이 세계에 또 다시 싯달타와 같은 인물이 생겨날 수 없다는 것은 매우 무미건조하고 섭섭한 일이다. 따라서 미래불에 대한 논리적 가능성은 싯달타가 생전에 성취한 것과 같은 동류의 대각이나 열반을 성취할 수 있는 캐릭터가 미래세에도 또 나타날 수 있다는 가능성에 대한 믿음일 수밖에 없다. 그런데 이러한 가능성은 싯달타의 화신일 수는 없는 것이다. 그렇다면 싯달타와는 다른 윤회계보의 어떤 과거의 보살을 설정하지 않을 수 없다. 이러한 과거의 보살이 미래에 붓다로서 다시 인간세에 출현할 수 있는 가능성에 대한 믿음을 우리는 미래불(Future Buddhas)신앙이라고 부른다. 이 미래불의 신화적 형태로서 가장 대표적인 것이 미륵불(Maitreya)이요, 아미타불(Amitābha)이다. 미륵불은 미륵신앙을, 아미타불은 정토신앙을 형성했으며 동아시아역사에 크나큰 영향을 주었다. 미륵신앙은 민중반란이나 천년왕국사상에 깊은 영향을 주었고 조선반도에서 크게 융성했다. 아미타불의 정토신앙은 일본에서 크게 융성하였던 것이다.

셋째로 우리가 붓다라는 말을 쓸 때, 붓다는 이 모든 부처님들을 묶는 통일된 개념으로서의 추상적 속성, 즉 우리가 붓다가 될 수 있는 가능성으로서의 불성(佛性, Buddha Nature, Buddhahood)을 의미할 수 있다. 즉 모든 붓다들은 불성의 측면에서 보면 모두 동일하다는 것이다. 이 불성에 대한 논의는 특히 소승과 대승이 대립적으로 이해되면서 주로 대승계열의 사상가들에 의하여 점점 우주론적이고 존재론적인 색채를 강하게 띠어갔다. 그리고 이 불성에 대한 논의는 법신(法身, dharmakāya)이라든가 여래장(如來藏, tathāgata-garbha)에 대한 논의와 더불어 증폭되었다. 그리고 대승불교의 정점이라 할 수 있는 선종(禪宗)도 바로 이 불성에 대한 독특한 해석으로서 태어나게 되는 것이다. 그러나 이러한 추상적 논의는 너무도 복잡한 많은 문제를 제기하므로 일반독자들을 위하여 일단 접어두려 한다. 우리나라의 원효스님 같은 사람도 바로 이러한 문제에 관하여 탁월한 견해를 제시한 대 사상가였다는 것만 암시해둔다.

자아! 우리는 붓다에 관한 세간의 논의를 우리가 쓰고 있는 언어적 개념에 대한 일반고찰에 따라, 세 가닥으로 정리하여 한번 생각해보았다. 그런데 우리가 이러한 논의를 지금 하고 있는 까닭은 바로 보드가야의 저 나이란쟈나강 건너편에 있는 핍팔라나무 때문이라는 사실을 망각해서는 아니 된다.

싯달타는 저 핍팔라나무 아래서 아뇩다라삼먁삼보리를 얻고 붓다가 되었다. 그래서 그가 앉은 자리는 금강보좌(金剛寶座, Vajrasana)가 되었고, 핍팔라나무는 보리수(菩提樹, Bodhi Tree: 깨달음의 나무)가 되었다. 그는 과연 핍팔라나무 아래서 무엇을 했길래 붓다가 되었나? 나도 싯달타처럼 핍팔라나무 아래서 가부좌 틀고 7주 정도만 앉아있으면 붓다가 될 것인가? 그래서 나는 지금 보드가야의 마하보디 스투파(Mahabodhi Stupa)를 향해 걸어가고 있는 것일까? 우리나라의 불자들은 너무도 쉽게 일상적으로 "성불"(成佛)이라는 말을 쓴다. 만나거나 헤어질 때, 인사말로도 "성불하십시요" 하기도 하고, 절간 이름도 성불사가 많고, 또 유명한 가곡도 있다. 그런데 이 "성불"이란 말은, "부처님이 된다"는 뜻이다. 부처님은 과연 그렇게 쉽게 되는 것인가?

우리나라 사람들이 "성불"이라는 말을 그렇게 일상적으로 쓰는 이유는 바로 우리나라 불교문화가 선종(禪宗)을 적통으로 하고 있는 특이한 토양을 가지고 있다는 사실을 입증하는 것이다. 선종은 "직지인심, 견성성불"(直指人心, 見性成佛.)이라는 매우 특이한 이론을 그 캣치프레이즈로 가지고 있다. 곧바로 사람의 마음을 가리켜라! 그리고 너의 본성을 있는 그대로 직시하라! 그리하면 너는 곧 부처가 될 것이다. 여기 "견성성불"(見性成佛)에서 성(性)은 앞서 말한 불성(佛性)을 말한다. 불성을 견(見)한다는 것은, 곧 우리 존재에 불성이 있다는 것을 전제로 하지 않으면 아니 된다. 아주 쉽게 말하면 나는 원래 부처였는데, 내가 곧 부처라는 사실을 망각하고 있었을 뿐이라는 것이다. 따라서 내가 곧 부처라고 하는 나의 본성을 견하면 곧 나는 부처가 된다는 것이다. 성불이란 곧 "부처가 된다"(to become a Buddha)이다. 이러한 논의는 앞서 말한 여래장론과 관련이 있다. 다시 말해서 나의 존재에 대하여 존재론적으로 불성을 전제로 한다는 것이다. 성불에 대한 그러한 쉬운 해결은 곧 나 속에 있는 불성의 건재를 전제로 해서만 가능해지는 것이다. 이것은 자칫 잘못하면 불교의 최고 법인(法印)이라고 할 수 있는 "무아론"(無我論)과 충돌을 일으킬 수도 있다. 불성을 전제로 할 수 있는 아(我)가 도대체 어디에 있단 말인가? 본래적 아와 오염된 아의 이원적 구분이 과연 가능할까? 물론 선은 이러한 모든 질문에 대하여 매우 현명한 대답을 가지고 있다. 그러한 질문을 지배하는 분별적 사유, 그것이 곧 문제라는 것이다. 그래서 불립문자(不立文字)라는 매우 교묘한 이론이 또 등장한다.

자아! 내가 이러한 문제에 대하여 논의를 계속하면 갑론을박은 한없이 길어질 것이다. 문제는, 내가 가지고 있는 이 마음이 곧 부처님이다(此心卽佛)라는 선의 주장은 원시불교에는 해당이 될 수가 없다는 것이다. 견성성불이니 차심즉불이니 하는 말은 곧 불성에 대한 논의들이 정립된 이후에 생겨난 것들이기 때문이다. 우리는 싯달타가 부처가 되기 전의, 즉 불성이라는 개념조차 성립하기 이전의 사유를 소급해 올라가지 않으면 안된다. 선종의 모든 주장은 그 나름대로 충분한 "역사적 이유"(historical reasons)가 있다. 그러나 그러한 주장은 어디까지나 역사적이다. 다시 말해서 그것은 대승의 번쇄한 논의들이 또 다시 불교의 본의를 가리울 정도로 난립한 상태에서 생겨난 명쾌한 면도날이었다는 것이다. 선종은 대승의 종국이자, 거대한 불교사상사의 말류이다. 우리는 말류를 가지고써 원류를 함부로 추측하는 오류에서 벗어나지 않으면 안된다. 기발한 공안(公案)이나 몇 개 휘두른다고 싯달타의 고민이다 해결되는 것은 아니다.

지금 핍팔라나무 아래 가부좌 틀고 앉아있는 사람은 35세의 인
도청년이다. 그는 부처도 아니요, 대단한 신통력을 가진 마술사도
아니다. 그는 아주 평범한 보통사람이다. 이 보통사람이 핍팔라나
무 아래서 과연 무엇을 했길래 그다지도 위대한 사람이 되었나?
과연 무엇을 했길래 보통 사람이었던 그가 붓다가 되었나?

우리는 보통 보리수나무 아래서 득도했다, 대각을 이루었다는
싯달타를 생각할 때, 우선 그가 보리수나무 아래서 가부좌를 틀고
선정에 몰입했으며, 기나긴 마라(魔王) 즉 사탄과의 싸움에서 종
국적인 승리를 거두고 드디어 대각, 아뇩다라삼먁삼보리의 무상
정등정각을 이루었다는 막연한 그림을 머리에 그리고 있다. 그런
데 이러한 부처님의 이미지에는 도무지 혈관이 없고 따스한 살결
이 없다. 우리의 부처님은 생명없는 금동부처 아니면 차가운 돌부
처일 뿐이다. 뛰어나게 선정에 몰입하고 마
라의 유혹만 물리치면 어느 새벽녘엔가 홀
연히 정각의 천지가 열릴 것인가? 여기에
바로 우리가 부처를 생각하는 방식의 오류
가 있다. 여기에 바로 선종적인 불교의 이해
방식의 한계가 있다. 불교를 이렇게 이해하
면 싯달타는 광야에서 사탄의 유혹을 물리
친 예수와 하등의 차별이 없다.

보드가야 대각지,
무차린다 연못
(Mucalinda Pond)에서
선정에 든 싯달타

내가 인도에서 체험한 가장 거대한 충격은 올드 델리(Old Delhi)에서 랄 낄라(Lal Qila)라고 불리는 적성(赤城) 레드 포트(Red Fort)를 바라보는 순간에 다가왔다. 이것은 무굴제국의 가장 중요한 상징물이다. 무굴제국은 중국의 청제국에 비교될 수 있는 정복왕조다. 청은 여진의 후예였고 무굴의 주인공들은 징기스칸의 후예였다. 이군을 따라 무심하게 델리의 거리를 거닐다가 만난 이 광경은 북경의 자금성이나 빠리의 베르사유궁전을 바라볼 때보다 훨씬 더 압도적이었다. 붉은 사암의 장대한 느낌은 단순했기 때문에 강렬했다. 33m 높이의 성벽이 8각형 형태로 2km나 뻗어있다. 샤자한이 1638년에 착공, 불과 10년만에 완성했다. 아우랑제브만이 이 궁에서 다스렸다. 뒷쪽에는 야무나 강(Yamuna River)이 유유히 흐르고 있다.

싯달타와 예수의 유혹

니코스 카잔차키스(Nikos Kazantzakis)의 원작소설을 기초로 마틴 스콜세지(Martin Scorsese)감독이 연출한 『그리스도의 마지막 유혹』이라는 영화가 있다. 원작자 카잔차키스는 그 서두에서 다음과 같이 말하고 있다.

예수의 이중적 실체성, 인성과 초인성의 갈등, 인간이면서 신이 되고자 했던 그 갈망, 그러한 것들은 항상 나에겐 풀 수 없는 심오한 신비였다. 어릴 때부터 카톨릭신도였던 나에게 다가온 모든 기쁨과 슬픔의 근원과 원천적 고뇌는 영혼과 육체 사이에서 일어나는 끊임없는, 그리고 잔인한 싸움이었다. 나의 영혼은 이 두 개의 적진이 충돌하여 싸우는 각축장이었다.

The dual substance of Christ — the yearning, so human, so superhuman, of man to attain God …… has always been a deep inscrutable mystery to me. My principle anguish and source of all my joys and sorrows from my youth onward has been the incessant, merciless battle between the spirit and the flesh …… and my soul is the arena where these two armies have clashed and met.

예수는 40일간의 광야의 시험에서 사탄의 유혹을 물리치고 하나님의 소리를 듣는다. 그리고 기적의 손길을 얻는다. 죽은 나사로를 무덤에서 일으키며 전진하고 또 전진한다. 그리고 호산나를 부르는 군중들의 환호 속에 예루살렘으로 입성한다. 그리고 하나님을 더럽히고 있는 예루살렘 성전을 뒤엎는다. 그리곤 정치적 혁명을 꿈꾸었던 가장 친했던 친구 가롯 유다에게 자신을 배반해줄 것을 간청한다. 그는 로마인들을 위하여 십자가를 만들던 목수였다. 이제 그는 그 자신이 십자가에 못 박히어 인류의 죄를 대속해야만 한다는 하나님의 소리를 듣고 있는 것이다. 그는 가롯 유다가 데리고 온 로마병정에게 끌려가기 전, 겟세마네동산에서 울부짖는다. 꼭 제가 죽어야만 합니까? 딴 길은 없습니까? 하고. 드디어 그는 골고다의 언덕에서 십자가에 못 박힌다. 그리고 육신의 엄마 마리아, 사랑하는 여인 막달라 마리아, 그리고 나사로의 두 자매, 네 여인을 내려다본다. 극심한 고통 속에 그는 잠깐 혼미 속에 빠진다. 이때 수호천사가 나타난다. 수호천사는 그에게 하나님의 말씀을 전한다. 나는 이삭을 죽이지 않았다. 단지 아브라함의 신앙을 시험했을 뿐이다. 나는 너의 피를 원치 않는다. 너의 고통은 이것으로 충분하다. 그리고 수호천사는 예수의 몸에서 십자가의 못을 뽑는다. 그리고 예수는 수호천사와 함께 걸어간다. 그리곤 사랑했던 막달라 마리아와 결혼식을 올린다. 그 뒤 마리아는 예수의 아기를 낳다가 죽는다. 그 뒤로 예수는 또 나사로의 누이와 결혼한다. 그리고 또 그 언니와 관계를 맺는다. 예수는 많은 아기를 낳고 관계한 모든 여자들과 함께 행복한 가정을 꾸린다. 예수는 하나님의 말씀대로 행복하게 살았다. 그리고 늙었다. 그리고 죽을 때가 되었다. 때는 AD 70년! 예루살렘성전이 티투스황제의 명으로 무너지고 전 도시가 약탈되는 시점이었다. 이때 가족에 둘러싸인 예수의 평온한 죽음의 침상에 충직했던 제자 베드로가 나타난다. 그리고 예수를 긍휼히 쳐다본다. 그리고 가롯 유다가 나타난다. 가롯 유다는 이스라엘의 멸망을 통탄하면서 예수에게 너는 배신자라고 절규한다. "죽음은 새로운 생명의 시작이야! 나를 제발 배신해주게, 나를 십자가에 못 박히게 해주게! 형제여."라는 그대의 속삭임 때문에, 그대를 사랑했기에 그대를 배반했거늘, 그 배신으로 인해서 자기는 끊임없이 배신당했고 또 혁명의 기회를 놓쳤다고 절규하는 것이다. 예수는 저 수호천사가 전해주는 하나님의 말씀을 충직하게 따랐을 뿐이라고 말한다. 그때 가롯 유다는 저 수호천사는 사탄이라고 소리친다. 그 순간, 수호천사는 예수를 광야에서 시험했던 사탄의 모습으로 나타난다. 예수는 행복한 죽음의 침상에서 비로소 자기가 사탄에게 유혹당했다는 것을 깨달은 것이다. 이때 예수는 발버둥치면서 죽음의 침상을 벗어난다. 그리고 마지막으로 하나님께 호소한다. "아버지! 제 말을 들어 주십시오. 다시 저에게 십자가를 돌려주십시오. 당신 분부대로 싸웠으나 모르는 사이에 이기적인 자기에 매몰되고 말았습니다. 다시 십자가에 매달리고 싶습니다. 다시 메시아가 되고 싶습니다. 주여! 이 탕자를 위한 잔치를 다시 베푸소서!"

이때 골고다의 십자가에 못 박힌 예수는 제 정신이 든다. 잠깐의 꿈이었던 것이다. 인간 예수에게 다가왔던 마지막 구운몽이었던 것이다. 그리고 비통에 잠겨있는 네 여인을 내려다본다. 그리고 말할 수 없는 환희와 기쁨에 소리친다.

"이제 다 이루었다! 모두 다 이루었다!"

이 순간이 예수의 열반이요, 대각이요, 해탈이었을까? 이것이 카잔차키스가 그리고 있는 예수의 모습이다. 핍팔라나무 밑에 앉아있는 싯달타에게 마왕 파피야스(Pāpīyas, 波旬)의 마군들의 맹렬한 침공이 있었다는 것은 아마도 싯달타의 마지막 유혹(the Last Temptation of Siddhārtha)이었을 것이다. 물론 이것은 외로운 자기와의 투쟁이다. 모든 신화나 설화들이 인간 내부의 투쟁을 객관화시켜 드러내 보여주기 위하여, 의식내적 상태를 실체화시키고 인격화시킴으로써 대결구도의 드라마를 구성하는 것이 통례이다. 싯달타의 마라와의 투쟁도 그러한 드라마적 기술에 불과하다는 것은 누구든지 쉽게 알 수 있는 것이다. 예수의 모든 역정도 결국 자기 자신과의 외로운 투쟁일 뿐이다. 예수는 **그리스도**(기름부음을 받은 자)가 되기 위하여 싸웠고, 싯달타는 **붓다**(깨달은 자)가 되기 위하여 싸웠다. 물론 이 양자간에 가치적 우열을 따질 수는 없다. 그러나 최소한 예수의 싸움이 카잔차키스의 말대로, "영혼과 육체 사이에서 일어나는 끊임없는 잔인한 싸움"이었다면 예수의 마지막 유혹은 매우 저차원적인 것이다. 그러한 잔인한 싸움은, 이미 싯달타는 중도행을 깨닫는 순간, 시타림의 쓰레기통에 버리고 떠났던 것이다. 싯달타의 싸움은 결코 마라와의 싸움은 아니었다. 싯달타의 대각을 묘사하는 말로서 "항마성도"(降魔成道: 마귀를 항복 받고 도를 이루었다)라는 말은 심히 오해를 일으키기 쉬운 매우 저급스러운 표현인 것이다. 그것은 원시불교의 본의를 크게 왜곡하는 것이다. 항마촉지인의 무드라(mudrā, 印相)조차 큰 의미가 없다.

비슈누(Vishnu)신에게 봉헌된 카주라호의 락슈마나 사원(Lakshmana Temple), 기단부에 있는 미투나상 조각

욕망이여! 마라여!

물론 인간은 욕망의 주체이다. 인간세의 모든 죄악이 이 인간의 탐욕으로부터 생겨나고 있다고 해도 과언이 아닐 것이다. 따라서 욕계(欲界)의 주인인 마라(Māra)와 우리는 끊임없는 투쟁 속에 있다. 따라서 욕망의 주체인 마라의 항복은 대단한 사태가 아닐 수 없다. 그러나 과연 마라의 항복만으로 인간에게 대각이 찾아오는 것일까?

핍팔라나무 밑의 싯달타에게 있어서 "선정"(禪定)이라든가 "항마"(降魔)와 같은 사태는 매우 부차적인 것이다. 그것은 이미 6년이라는 기나긴 세월의 고행과 선정을 통하여 몸에 충분히 익숙되어 있었던 것이다. 또 수행자로서는 최고도의 달통한 수준에 도달해 있었던 그였다. 그가 우선 새로운 선정에 필요한 충분한 영양을 우루벨라 마을에서 보급 받고 떠났다고 하는 것은 이미 선정 그 자체의 차원을 넘어섰다는 것을 의미한다. 32호상을 회복한 그에게는 강건한 체력과, 선정과 고행으로 단련된 무서운 정신력이 완벽하게 무장되어 있었다. 그러한 그가 이제 겨우 막달라 마리아나 나사로의 자매들의 유혹에 빠질 그러한 수준이 아니었다. 싯달타에게는 인간과 초인간, 즉 인성과 신성의 갈등이 애초에 부재했다. 싯달타는 지금 예수처럼 신이 되기 위하여 몸부림치고 있는 것이 아니다.

마왕 파피야스는 꿈쩍도 하지 않는 싯달타에게 자기의 요염하고 교태로운 딸들을 파견한다. 어느 경에서는 그 세 딸의 이름이 염욕(染欲)이요, 능열인(能悅人)이요, 가애락(可愛樂)이라 했고, 또 다른 경에서는 그 네 딸의 이름이 욕비(欲妃), 열피(悅彼), 쾌관(快觀), 견종(見從)이라 했다. 그들이 싯달타의 안전에 등장하는 모습을 경들은 변사또에게 대령하는 기녀들의 자태보다도 더 교태롭게 묘사하고 있다.

카주라호 락슈마나 사원 기단부에 있는 조각. 미투나상 이외로도 당대의 삶의 이야기들(설화)이 표현되고 있다. 기실 미투나상은 20%밖에 되지 않는다.

눈썹을 치켜들고 말이 없으며(揚眉不語양미불어), 치마를 걷어올리며 사르르 나아간다(褰裳前進건상전진). 얼굴을 숙이고 웃음을 머금었네(低顔含笑저안함소), 서로를 희롱하며 아양을 떠는구나(更相戲弄경상희롱). 연모하여 그리워하는듯(如有戀慕여유연모), 뚫어지게 쳐다보며(互相瞻視호상첨시), 얼굴과 입술을 살짝 가리웠네(掩斂唇□엄렴순구). 아양부리는 눈으로 곁눈질 흘깃흘깃(媚眼斜眄미안사면), 새색시처럼 가늘게 뜨고 보네(嬰嫟細視앵명세시). 공경하여 절하는 듯(更相謁拜경상알배), 아롱거리는 샤리로 머리를 가리우며(以衣覆頭이의복두), 번갈아 꼬집고 또 꼬집는구나(遞相拈搯체상념도). 귀를 기우려 거짓 듣는 척하며(側耳佯聽측이양청), 맞이하여 종종걸음을 걷다가(迎前躞蹀영전섭접), 무릎과 넓적다리를 드러내며(露現髀膝노현비슬), 오~ 젖가슴을 드러내는구나(或現胸臆혹현흉억)……

그러면서 그들은 다음과 같이 노래부른다.

이른 봄 화창하고 따스한 호시절에,
뭇 풀과 숲과 나무 모두 피어 무성하네.
장부로서 즐기는 마땅한 때가 있는 법이니,
한창 때를 한 번 버리고 나면 다시 오기 어려워라.

初春和暖好時節, 衆草林木盡敷榮。

丈夫爲樂宜及時, 一棄盛年難可再。

이에 싯달타는 애민(哀愍)한 마음으로 그 요혹(妖惑)한 마녀들에게 다음과 같은 게송을 읊는다.

> 칼날에 발린 꿀은 혀를 상케 하고
> 오욕에 물들음은 신통을 흐리는 도다.
> 내 모든 번뇌를 떠난 지 이미 오래되었거늘,
> 어찌 다시 독궤의 불구덩이로 뛰어들까보냐.
> 세간의 오욕이 중생을 불태움이,
> 아~ 세찬 불이 마른 풀을 태우는 것 같도다.
> 너희들의 몸뚱이는 허환이요 실체가 없으니
> 파도의 거품과도 같이 오래 머물 수가 없구나.
> 너희들의 엉킨 핏줄과 근골은,
> 사대와 오온의 가합일 뿐.
> 어찌 내 범부들과 같이 욕심을 내리오?
> 채색한 항아리 속의 독사들이여!
> 똥찌꺼기 가득 찬 가죽주머니에 불과한 그대들이여!
> 어찌 세간을 벗어난 나를 잡으려 하느뇨?
> 나는 공중을 자유로히 나는 바람과 같으니
> 그대들의 애욕으로는 영원히 날 묶어두지 못하리.[21]

이 시를 들은 요염한 여인들은 순간 할미들이 되어 머리가 희어지고 이가 빠졌으며 눈이 멀고 등이 구부러져서 지팡이를 짚고 서로를 의지하며 사라졌다.[22]

자아! 이제 마라의 패배로 과연 싯달타는 붓다가 된 것일까? 여기 우리는 또 다시 싯달타가 과연 무엇을 위하여 선정을 했으며, 고행을 했는가를 다시 한번 살펴볼 필요가 있다. 그는 카필라성의 왕자로 태어나, 부모의 철저한 보호 속에 세상의 고뇌를 한번도 경험치 못하고 성장하였다가 소위 "사문유관"(四門遊觀)이라고 하는 충격적 사건에 접하게 된다. 사문유관이란 그가 어느날 우연히 동문으로 나갔다가 백발에 등이 굽은 초라한 노인을 만났고, 또 어느날 남문 밖에서 두 사람에게 부축되어 가는 병자를 보았으며, 또 어느날 서문 밖에서 장례식을 목격했던 사건을 의미한다. 이것은 인간의 "노(老)·병(病)·사(死)"의 고통스러운 현실을 최초로 충격적으로 직면했다는 사실을 의미한다. 그리고 어느날 북문에서 한 사문(沙門)을 만나 출가수행의 가능성을 탐색케 되었던 것이다. 이것은 매우 사소한 이야기 같이 들리지만, 보통 인간들에게는 너무도 흔한 현실이 싯달타라는 소년에게 충격적으로 다가갔다는 그 사실이 중요한 것이다. 몰랐던 사실을 새롭게 인식하는 경이감, 그 타우마제인을 인식할 수 있는 마음의 순수성이 소년 싯달타에게는 보존되어 있었던 것이다. 그리고 그 평범한 현실을 범인들과는 전혀 다르게 충격적으로 받아들이고 해석했다는 그 사실이 중요한 것이다. 노(老)·병(病)·사(死), 삼법(三法)이

카필라바스투의 동문길.
샛달뜨는 새벽 먼동이 틀 때
바로 이 길을 따라
출가의 첫 발자국을 내딛었다.
국인들이 깰새라
'말발굽에 헝겊을 감싸
숨을 죽였다는 설화가
지금도 전해져 내려오고 있다.

없었더라면 나는 출가하지 않았을 것이다. 싯달타는 회고하여 말하고 있다.

싯달타는 신이 되고자 노력하는 사람도 아니요, 신의 소리를 듣고자 하는 사람도 아니요, 육체와 정신의 갈등 때문에 고민하던 사람도 아니다. 신과 인간, 육체와 정신의 분열이 싯달타에게는 중요했던 것은 아니다. 싯달타는 본시 총명하였으며, 매우 감수성이 예민했으며, 사색에 깊이 빠지는 사람이었으며, 조용히 명상을 즐기는 그런 성격의 사람이었던 것으로 부파불교의 경전들은, 그의 어린 시절을 묘사하고 있다. 싯달타에게 일차적으로 문제가 된 것은 일체개고라는 인간의 고통스러운 현실이었으며, 그의 과제상황은 어떻게 하면 이 고통스러운 현실로부터 벗어날 수 있을까 하는 것이었다.

카필라성에서 내가 만난
사람들은 모두 미인이었다.
내 카메라에 담긴 갈매기 눈썹의
이 동네 새악씨도
내 눈에는 쥴리아 로버츠 보다도
훨씬 더 아름다웠고
천연의 싱싱함을 간직하고 있었다.
나는 이 소녀를 싯달타의 부인
야쇼다라(Yasodhara, 耶輸陀羅) 공주
라고 이름지었다.

해탈과 열반

이 고통스러움으로부터의 벗어남이라는 그 "벗어남"이라는 말을 "해탈"이라는 말로 바꾸어보자! 해탈이라는 말은 인도사상(베다/우파니샤드)에 있어서는 분명 윤회의 굴레로부터의 벗어남이라는 우주론적 맥락에서 쓰이는 말이지만, 초기불교경전들에서 이 "해탈"이라는 용어는 반드시 그러한 엄밀한 의미맥락에서만 규정되어 있는 것은 아니다. 해탈은 우리를 묶고 있는 속박으로부터의 벗어남이라는 의미며, 그것은 번뇌로부터 해방된 자유로운 심경, 즉 심적 상태를 의미한다. 해탈은 우주론적인 맥락에서 보다도 그러한 소박한 심리적인 그리고 윤리적인 맥락에서 흔히 쓰였음을 초기경전에서 확인해 볼 수 있다. 물론 해탈의 본래적 뜻은 이 윤회의 세계로 다시 진입하지 않는다는 것을 의미한다는 것을 항상 염두에 둘 필요가 있다.

"일체(一切)가 무상(無常)하다"는 것을 때로 부처는 "일체(一切)가 불타고 있다"라고 표현할 때가 있다. 부처는 대각 후 어느날 천여 명의 비구들과 함께 가야지방에 있는 가야시사산에 오른 적이 있다. 이때 건너편에 있는 산에 산불이 났다. 제자들은 산불을 쳐다보고 있었다. 이때 부처님께서는 다음과 같이 말씀하셨다.

"그대들은 저 산이 불타고 있다고 생각하는가? 불타고 있는 것은 저기 저 산만이 아니다. 그것을 쳐다보고 있는 그대들의 눈이 불타고 있다. 일체가 불타고 있다."

『마하박가』에는 다음과 같은 설법이 기록되어 있다.

> 비구들아, 모든 것은 불타고 있다. 비구들아, 무엇이 불타고 있는가?
> 눈이 불타고 색들이 불타고, 안식이 불타고 안촉이 불타고, 안촉에 기대어 발생한 즐거움과 괴로움, 그리고 즐겁지도 괴롭지도 않은 느낌이 불타고 있다. 무엇으로 불타는가? 탐욕의 불로 타고 노여움의 불로 타고 어리석음의 불로 타고, 출생·늙음·죽음·슬픔·눈물·괴로움·근심·갈등으로 불탄다.
> 귀가 불타고 소리들이 불타고……
> 코가 불타고 냄새들이 불타고……
> 혀가 불타고 맛들이 불타고……
> 몸이 불타고 촉감들이 불타고……

의지가 불타고 법들이 불타고……

탐욕의 불로 타고 노여움의 불로 타고

어리석음의 불로 타고,

출생 · 늙음 · 죽음 · 슬픔 · 눈물 · 괴로움 · 근심 · 갈등으로 불

탄다. 23)

바나라시 간지스 강의 화장터로서
가장 오래되고
가장 성스러운 곳으로
여겨지고 있는 마니카르니카 가트
(Manikarnika Ghat).
시체들이 불타고 있다.
죽음과 삶이 항시 공존하고 있다.
접근촬영이 허용되질 않았다.

바로 우리가 열반(nirvāṇa)이라고 부르는 것은 "불이 꺼진 상태"를 의미하는 것이다. 열반, 즉 니르바나는 니로다(nirodha, 滅: 끔)와 같은 어근의 말이다. 우리의 눈이 타고, 귀가 타고, 코가 타고, 혀가 타고, 몸이 타고, 의지가 타는 것은 바로 탐욕(貪欲)과 진에(瞋恚), 우치(愚癡), 즉 탐·진·치의 삼독(三毒) 때문인 것이다. 이러한 삼독(三毒)·삼화(三火)가 지멸(止滅)한 상태를 우리는 열반이라고 부르는 것이다. 열반이란 본래 심리적 상태를 말하는 것으로 존재론적인 완벽한 멸절을 의미하는 것은 아니었다. 열반이라는 개념을 그러한 존재론적 개념으로 심화시킬 때 존재의 멸절 그 자체를 의미하게 되므로 유여열반(有餘涅槃)이니 무여열반(無餘涅槃)이니 하는 따위의 구분이 생겨나게 되는 것이다. 그러나 대체적으로 원시경전에는 열반이라고 하는 이상향, 그 자체의 상태를 구체적으로 설명하는 논의가 희소하다. 그리고 물론 유여열반이니 무여열반이니 하는 이원적 설법도 부파불교의 말류에서 생겨난 것이며, 전혀 싯달타 자신의 논의가 아니다. 총체적으로 조감하여 본다면 후대의 대승불교에서 말하는 무주처열반(無住處涅槃)이야말로 원시불교의 정통사상을 드러낸 것이라 할 수 있다.[24]

그렇다면 우리가 소박한 의미맥락에서 해탈과 열반이라는 주제를 중심으로 핍팔라나무 밑에서 정진하고 있는 싯달타의 정신세계를 접근해 들어간다면, 싯달타에게 있어서 마라의 퇴치는 곧 해탈과 열반을 달성하는 첩경을 확보한 사건이라고 생각할 수도 있다. 예수의 마지막 유혹처럼, 그가 일생 받을 수 있는 모든 유혹의 가능성을 압축적으로 받았고, 그 욕망의 불길을 껐다고 한다면 그는 곧 열반을 달성했을 것이고, 열반을 통하여 그는 자유로움을 획득하고 해탈을 얻었을 것이다. 이것이 보통 싯달타의 보리수를 이해하는 방식이다. 그러나 나는 이런 방식으로 싯달타의 득도를 이해하는 것은 불교 그 자체의 이해방식을 극도로 폄하시키는 편벽한 소치라고 생각한다. 욕망의 제어라는 것은 동서고금을 통하여 모든 수행인들이 일차적으로 정진하는 매우 기본적인 디시플린이다. 이러한 디시플린에 싯달타가 뛰어남으로 해서 그가 불타가 되었다고 한다면 나는 굳이 그의 가르침인 불교에 눈을 돌리지 않을 것이다. 아씨시의 성 프란시스(Saint Francis of Assisi)만 해도 욕망의 제어라는 측면에서는 우리의 상식적 기대를 뛰어넘는 위대한 인물이 아니었던가? 그렇다면 싯달타의 성불의 과정을 설명해들어갈 수 있는 가장 정확한 핵심적 테마는 무엇인가? 나는 이 어려운 질문에 간단히 대답하려 한다.

저 보리수를 보라!

그가 얻으려 했던 것은 바로 "보리"(菩提, Bodhi)였다. 보리란 무엇인가? 그것은 아뇩다라삼먁삼보리다. 아뇩다라삼먁삼보리란 무엇인가? 그것은 무상정등정각이다. 무상정등정각이란 무엇인가? 그것은 각이다. 각이란 무엇인가? 그것은 "깨달음"이다. 깨달음이란 무엇인가? 그것은 "앎"이다. 무엇을 어떻게 안다는 것인가?

불교학을 공부하는 사람들에게 있어서조차도, 지금 우리가 논의해왔던, 해탈, 열반, 그리고 깨달음이라는 이 세 단어는 매우 두리뭉실하게 비슷한 하나의 의미를 전달하는 다른 표현처럼 쓰이고 있다. 그러나 나는 싯달타가 붓다가 될 수 있었던 바로 그 비결은 "깨달음"이라는 이 한마디로 압축된다고 생각하는 것이다. 결코 해탈이나 열반이라는 말로써는 그의 붓다됨을 설명할 수가 없다고 생각하는 것이다. 우리가 싯달타를 붓다로 부르는 이유는 바로 그가 깨달은 자이기 때문이다. 그가 핍팔라나무 밑에서 가부좌를 틀고 앉은 것은 선정을 위한 것이 아니요, 마라의 퇴치를 위한 것이 아니었다. 그는 깨닫기 위해서 앉아 있었던 것이다. 그의 깨달음의 과정은 바로 마라와의 싸움이라는 프렐루드(序幕서막) 이후부터 전개된 것이었다.

붓다(Buddha)라는 말 자체가 각자(覺者), 즉 "깨달은 자"(one who has awakened)를 의미한다는 것은 우리의 상식에 속하는 일이다. 『장자』(莊子)의 「제물론」(齊物論)에는 "꿈을 꿀 때는 그것이 꿈인 줄을 모르고, 꿈 속에서 또한 꿈을 점치기도 하다가, 깨어나서야 그것이 꿈이었음을 안다"(方其夢也, 不知其夢也。夢之中又占其夢焉, 覺而後知其夢也。)라고 했고, 「대종사」(大宗師)에는 "그대가 지금 말하고 있는 것 그 자체가 깨어있는 것인지, 꿈꾸고 있는 것인지 알 길이 없다."(不識今之言者, 其覺者乎? 其夢者乎?)라 했다. 보리(菩提, bodhi)를 "각"(覺)으로 한역한 것은 바로 이 『장자』의 문구에서 비롯된 것이다. 따라서 한문의 의미구조에서의 "각"은 항

고타마 싯달타는 과연 어떤 출신의 사람이었을까? 노·병·사도 모르고 고귀하게 자라난 카필라성의 왕자였을까? 브라흐만 계급이었을까? 크샤트리야 계급이었을까? 아니면 수드라 천민의 혁명적 반항아였을까? 이 모든 질문에 우리의 정답은 있을 수 없다. 단지 내가 말할 수 있는 것은 그는 해박한 지성과 섬세한 감성의 소유자였고 초기 승단을 이끌 수 있는 카리스마를 지닌 인물이었다는 것이다. 그러나 최종적 사실은 지금의 나와 똑같이 숨쉬고 살았던 한 인간이었다는 것이다. 카필라성 입구에서 우연히 만난 이 동네청년의 얼굴에서 나는 싯달타를 보았다. 싯달타는 우리에게서 결코 멀리 있지 않은 이런 한 인도청년이었다.

시 "꿈"과 대비되는 "깸"의 맥락을 떠나지 않는다. 그러나 산스크리트어의 보리는 반드시 꿈과 대비되는 맥락에서 쓰이는 말이 아닐 뿐 아니라 중국인들, 특히 도가계열의 사상가들이 꿈과 대비되어 쓸 때의 반주지주의적 의미맥락을 지니지 않는다. 더구나 이러한 도가적 요소가 강하게 발전하여 극치에 오른 선종(禪宗)이 강하게 표방하는 반주지주의적인, 아니 "지식의 저주"라고도 표현할 수 있는 그러한 분별지의 혐오감이 이 "깨달음"이라는 말 속에는 전혀 내포되어 있지 않다. 선종의 반주지주의(anti-intellectualism), 분별지의 거부, 즉 개념적 지식에 대한 혐오야말로 우리나라 사람들이 원시불교의 본의로 직입하는 길을 차단시키는 험준한 장애물이 되고 있는 것이다.

보드가야 대탑 기단부 조각

대각은 앎이다

　그런데 원래 아뇩다라삼먁삼보리라는 것은 "더 없는 최상의 바른 앎"이라는 뜻이다. 붓다의 어원인 "buddhi"는 "지능" (intellectual capacity)이며, "지성"(intelligence)이며 "이성"(reason)이며, "식별"(discernment)이며, "이해"(understanding), "합리적 견해"(rational opinion)를 의미한다. 보리와 관련된 "bodha"도 "이해한다," "안다"는 뜻이다. 붓다가 말하는 "깨달음"의 원초적 의미는 "앎"일 뿐이다. 우주와 인간, 우리가 살고 있는 세계에 대한 그릇된 앎이 아니라, 바른 앎이다. 그것이 곧 지혜요, 깨달음이다. 싯달타가 6년 동안의 선정주의와 고행주의를 떨쳐버리고 핍팔라 나무 밑으로 향했던 것은, 바로 선정도 고행도 아닌, 선정과 고행을 초월하는 새로운 지혜를 향한 발돋움이었던 것이다. 이 새로운 지혜, 우주와 인간에 대한 바른 통찰, 이것이야말로 그가 생각했던 중도(madhyamā pratipad)였다.

우리나라 절깐에 가면 입구에 "**아름알이를 가진 자 이 문을 넘 어서지 말라**"는 등의 문구를 붙여 놓거나 돌기둥에 새겨놓은 것을 쉽게 목격할 수 있다. "아름알이"란 말 자체도 전혀 어법적으로 잘못 구성된 족보없는 말이려니와, 이런 문구를 걸어놓고 있는 스님들이야말로 한국불교를 상식적 대중으로부터 소외시키는 부끄러운 구업을 쌓고 계시다는 것을 자각하지 않으면 안된다. 진정한 깨달음을 얻은 자라고 한다면 아름알이, 즉 지식에 대한 하등의 공포를 가질 이유가 없다. 모든 지혜는 지식에 대하여 개방적일 수밖에 없는 것이다. 지혜와 지식의 이원적 구분이야말로 우리나라 선종을 비불교적인 말폐로 끌어가고 있는 장본인인 것이다. 인간의 지혜는 지식을 통해서만 얻어진다. 농사꾼이 농사에 대한 지식이 없이는 농사를 지을 수 없다. 토양의 화학적 성분에 대한 분석적 앎만이 지식은 아니다. 농부가 땅과 하늘과 씨와 배양에 관한 모든 것을 아는 것, 그 모든 것이 지식이다. 직관적 앎도 지식이다. 지식의 체화가 곧 지혜일 뿐이다. 앎을 통하지 않고 얻어지는 지혜는 없다. 밀교에서 말하는 비전적인 지혜조차도 앎을 통해서 얻어지는 것이다. 앎을 습득하는 방식이 다를 뿐이다. 분별적 지식을 거부함으로써 지혜에 도달할 수 있다 하는 것도 하나의 지식이다. 선방에서 외쳐대는 할(喝)의 방망이도 하나의 지식이다. 불립문자도 하나의 지식이다. 성철스님이 말씀하시는 돈오돈수도 하나의 지식이요, 하나의 앎이다. 성철스님도 항상 영문 『타임』지를 읽는다는 것을 자랑스럽게 생각하신 분이요, 한학에 능하여 유려한 게송을 읊는 것으로 존경을 받았던 분이다. 성철스님도 항상 이 세계에 대한 앎을 결코 게을리 하지 않으신 훌륭한 스님이었다. 싯달타는 정말 알려고 몸부림쳤던 것이다. 고행을 통해서는 그에게 그 "앎"이 다가오지 않았던 것이다. 고행 그 자체에의 충실은, 쾌락 그 자체에의 충실과 하등의 차이가 없었던 것이다. 싯달타는 왜 이렇게 인생이 괴로운 것이며, 이 모든 중생의 고의 근원이 과연 어디에 있는 것인지, 그것을 알고 싶었던 것이다. 그 고가 어떻게 해서 생겨나고 있는 것인지, 그 고의 궁극적 원인을 알고 싶었던 것이다. 엉터리로 아는 것이 아니라 진짜로 알고 싶었던 것이다. 각자(覺者), 즉 붓다의 최종적 의미는 이러하다: **정말로 아는 사람**(one who really knows)! 싯달타가 붓다가 되었다는 것은, 정말로 아는 사람이 되었다는 뜻이다. 우리는 싯달타가 중도를 깨달았을 때를 회상하여 외친, 앞서 인용한 『마하박가』의 초전법륜의 말을 다시 한 번 상기할 필요가 있다: "중도는 눈을 뜨게 하고, 앎을 일으킨다." 그의 중도가 지향했던 바는 뛰어난(殊勝_{수승}) 앎이요, 바른 깨달음이었다.

그가 아뇩다라삼먁삼보리를 증득하고 카시 사르나트에 있는 다섯 비구들을 향해 떠나면서 싯달타는 다음과 같이 외친다. 이것은 참으로 내가 접한 한 인간의 지적 자신감의 표현으로서는 극상의 포효다.

싯달타가 대각한 후에 처음으로 설법한 초전법륜지, 사르나트의 녹야원(鹿野苑) 전경. 당시에는 이 근방에 사슴이 많이 살고 있었다. 여기 보이는 탑(Dhamekh Stupa)은 아쇼카시대에 지어진 것을 굽타시대 때(AD 500년경) 새롭게 증축한 것이다. 내가 갔을 때 티벹 승려들이 법회를 열고 있었다.

나는 모든 것을 이겼고,

모든 것을 알았다.

나는 일체의 제법에 물들여지지 않았고

모든 것을 버렸다.

갈애가 다한 해탈을 얻었다.

스스로 깨달았으니 누구를 스승으로 칭하리오!

나에겐 스승이 없다.

나와 비견할 자도 없다.

천신을 포함하여 이 세간에 나와 같은 자는 없다.

어떤 자도 나와 동등하지 못하다.

나는 이 세간에서 존경받아야 할 사람이로다.

나는 무상(無上)의 스승이다.

나는 홀로 모든 것을 바르게 깨달아

청량하고 적정한 경지에 이르렀다.

나는 법륜을 굴리기 위해 카시의 도성으로 간다.

어두운 이 세상에 불멸의 북을 울리기 위해.[25]

싯달타의 오도송(悟道頌)으로 꼽히는 이 『마하박가』의 게송에서도 제일 먼저 등장하는 말은, "나는 모든 것을 이겼고, **모든 것을 알았다**"이다. 다시 말해서 그의 깨달음의 가장 원초적인 사태는 "모든 것을 알았다"이다. 그렇다면 싯달타는 과연 무엇을 어떻게 안 것인가? 이 어려운 질문에 답하기 전에, 이 오도송에 등장하는

몇 마디를 우선 분석해볼 필요가 있다. 이 짧은 오도송 속에도 우리가 여태까지 논의해온 많은 테마들이 함축되어 있다. 여기에도 해탈이라는 말이 들어가 있다. 그런데 해탈은 "갈애가 다한 해탈"이라는 표현으로 등장하고 있다. 즉 해탈이란 여기서 윤회의 굴레로부터 벗어난다는 의미라기 보다는 일차적으로 갈애가 다해버린(空竭_{공갈}) 마음의 상태이다. 『방광대장엄경』에는 오도송이 다음과 같이 기록되어 있다.

> 번뇌가 모두 끊어졌도다!
>
> 모든 잡념이 사라졌도다!
>
> 괴로운 생존을 다시 반복치 않으리,
>
> 이를 일러 고가 다했다 하노라.
>
> 煩惱悉已斷, 諸漏皆空竭
>
> 更不復受生, 是名盡苦際。[26]

여기 제3구인 "갱불부수생"(更不復受生)이라는 표현에서 우리는 해탈의 원래적 의미인 윤회적 삶으로부터의 벗어남이라는 맥락을 확인할 수 있지만, 역시 보다 근원적 의미는 번뇌가 끊어지고 잡념(漏_누)[27]이 사라진 마음의 상태를 말하고 있는 것이다.

다음, 열반이라는 말은 "청량하고 적정한 경지"라는 표현으로 드러나 있다. 동대문 밖에 "청량리"라는 동리 이름이 있다. 나는 어려서부터 이 청량리라는 이름을 매우 이상하게 생각했다. 예로부터 그곳에 얼음공장이 있었나? 청량음료를 많이 팔았나? 아니면 그 동네가 특별히 시원한 바람이 불었나? 경북 봉화, 경남 합천 등지에 "청량사"(淸凉寺)라는 고찰이 있듯이,[28] 청량이란 본시 불교용어로서, 번뇌의 불길이 꺼져서 마음이 시원한 상태를 가리키는 것이다. 번뇌의 불길이 다 꺼져서 시원하고 고요한 마음의 상태, 즉 청량한 상태를 싯달타는 "열반"이라 불렀던 것이다.

우리가 불교를 생각할 때, 흔히 그 교리의 가장 핵심적인 것으로 먼저 떠올리는 것은 삼법인(三法印)이니 사법인(四法印)이니 하는 따위의 것들이다. 그렇다면 불타의 보리수나무 밑의 성도의 내용은 이 세 법인으로 압축되는 것일까? 제행무상(諸行無常)·제법무아(諸法無我)·열반적정(涅槃寂靜) 이 세 법인이면 붓다의 성도의 내용은 다 완결되는 것일까? 무엄하게도 나 도올은, 이러한 도식적 이해야말로 불교의 이해를 망치는 근원이요, 삼법인은 결코 근본불교의 정신을 바르게 전달하는 방편이 아니라고 생각하는 것이다. 이건 또 무슨 망언인가?

간지스 강에 떠내려 가는 삼법인

삼법인의 허구

　여기 "법인"(法印)이라는 말은 원시불교의 입장에서 보면 과히 기분좋은 말은 아니다. "법인"(法印, dharmoddāna)이란 문자 그대로 "불법(佛法)이 되는 인증(印證)"이라는 뜻이다. 즉 불법과 타법이 혼동될 경우 어떠한 일자가 불법이라는 것을 증명할 수 있는 근거가 되는 것, 그것을 곧 "법인"이라고 부른 것이다. 이것은 법인이라는 말 자체가, 불타 자신의 말이라기 보다는, 불타의 말씀을 변호하기 위한 호교론(apologetics)적 색채를 강하게 띠면서 후대에 형성된 개념이라는 것을 알 수가 있다. 그것은 설법이 아닌 아폴로지에 불과한 것이다. 물론 법인으로서의 이 삼 개 조항, 그러니까 불교헌법 3대 총강령이라 말할 수 있는 이 삼 개 조항의 내용은 직접·간접으로 성도 후의 세존이 설한 내용임에는 의심의 여지가 없을 뿐 아니라, 이 삼법인의 내용 또한 불교교리의 핵심을 잘 압축해놓은 것이라는 데 나는 이의를 제기하지 않는다. 그러나 분명 세존 자신은 자기의 생각을 이렇게 도식화된 형태로 인증하려고 하지는 않았다는 것이다. 『잡아함경』 권제1에 "색에서 생겨난 모든 것은 무상한 것이며, 무상한 것은 고통스러운 것이며, 고통스러운 것은 내가 아니다"(色無常, 無常卽苦, 苦卽非我。『대정』 2-2)라고 말한 것이 후대에 말하는 삼법인의 근거로서 들 수 있는 거의 유일한 구문이지만, 이러한 아함의 전승은 삼법인과 같은 어떤 정형적 틀을 가지고 있지 않았다. 이 삼법인이란 어디까지나, 부파불교에서 호교론적인 시각에서, 최소한 이러한 교설의 기준을 지켜야만 혹자가 불타의 말이라고 암송하는 내용이 붓다의 가르침이라 인증할 수 있다고 하는 기준을 세운 것에 불과하다. 그러나 지금 보리수나무 밑의 인간 싯달타의 명상이나 사유의 과정을 추적하는 데 있어서는 이 삼법인은 결코 바람직한 방편이 되질 못하는 것이다.

나는 대학교 시절에 불교학개론을 처음 들었다. 내가 다니던 대학에는 불교학을 전공하는 교수님이 안 계셨다. 그런데 타대학으로부터의 강사초빙도 그리 쉬운 일이 아니었다. 당시 대학교 강단에서 불교학을 강의할 수 있는 사람은 극소수에 불과했기 때문이었다. 그래서 유학을 가르치시던 분이 그냥 강의했다. 불교학개론 첫 시간에 내가 접한 것은 깨알같이 칠판에 쓴 삼법인이었다. 그런대로 성실한 내용의 강의였지만 삼법인은 화창한 봄날의 나른한 수강생들에게 쏟아진 자장가였을 뿐이었다. 그리고 오늘날까지도 나는 이 삼법인에 대한 아무런 감흥을 느끼지 못하고 있는 것이다.

삼법인에 대한 일반인들의 이해에는 매우 중대한 오류가 끼어들 가능성이 있다. 제행무상이라, 아 허무하다! 아 쇼펜하우어가 생각나는구나! 제법무아라, 아 덧없다! 모든 법이 다 가짜구나! 열반적정이라, 오~ 이 허무하고 덧없는 세상을 버리고 고요한 열반에나 들자꾸나!

제행무상이니 제법무아니 하는 말들이 우리가 살고 있는 현상적 질서의 부정을 의미한다면, 그에 대하여 열반적정은 본체론적 궁극자! 무상하고 덧없는 세계에 대하여 고요하고 평화로운 영원한 열반의 세계를 우리 의식 속에 그려주는 것이다.

이 3법인 중에서 가장 오류적인 것은, "열반적정"이라는 이 한 마디인 것이다. 열반에 대한 이해가 깊어지면 깊어질수록 열반이라는 단어는 "죽음"과 연결이 되고, 삶의 세계가 빛을 의미한다면, 죽음의 세계는 곧 어둠을 의미하게 되는 것이다. 따라서 삶의 세계가 쉬지 않고 살아 움직이는 동(動)의 세계라고 한다면, 죽음의 세계는 당연히 정(靜)이 되고 만다. 따라서 열반은 본체론적이고, 우주론적이고, 실체론적 의미를 띠게 되며, 그 본체적 세계는 적정(寂靜)한 것이라는 결론에 자연스럽게 도달케 되는 것이다. 이것은 세계문명사에 등장한 모든 주정주의(主靜主義, quietism)의

한 원형에 불과하다. 현상적 질서에 대하여 보다 근원적인 실체가 있고, 그 실체는 고요하고 정적인 것이라는 주장인 것이다.[29] 초기불교에서 삼법인으로서 이 "열반적정"이라는 말을 삽입시킨 것은 그릇된 것이다. 그것은 오늘날까지 불교를 곡해시키는 근원적인 오류의 샘물이 되고 있는 것이다. 중국 신유학의 선하인 『정몽』(正蒙)의 저자 장 헝취(張橫渠, 1020~1077)를 위시하여 동론(動論)을 외친 명말청초의 대유 왕 후우즈(王夫之, 1619~1692)에 이르기까지, 이들이 한결같이 불교를 공격하는 것도 바로 이 "열반적정"이라는 한마디에 숨어있는 주정주의의 함정이었다. 기실 남방상좌부전통을 이은 오늘날의 스리랑카·미얀마·타이 등의 남방불교에서는 열반적정을 법인으로서 간주하지 않는다. 남방불교에서는 삼법인이라는 개념보다는 삼상(三相, tilakkhaṇa)이라는 개념을 쓰며, 여기에는 물론 열반적정이 빠져있다. 팔리어본 『법구경』(Dhammapada) 제20장, "진리의 길"만 펼쳐봐도 이러한 사실을 쉽게 확인해볼 수 있는 것이다.[30]

인도의 개들은 아(我)가 없다.
나른한 요기들처럼
항상 축 늘어져 있다.
여기 길거리에 치어 열반한
개에게 동네아동이 물을
뿌려주고 있었다.
이 생명은 육도윤회에서
무엇으로 다시 태어났을까?

무아와 비아

기실 이 삼법인의 언어 중에서 우리가 근본불교의 정신을 나타내는 단 한마디의 단어를 고르라고 한다면 "無我"(anātman), 이 한마디 밖에는 없다. 그런데 무아(無我)는 궁극적으로 비아(非我)를 말하는 것은 아니다.[31]

여기 지금 우리가 보리수나무 밑에 앉아 명상하고 있는 싯달타의 사유의 세계, 그가 깨달은 세계, 그의 앎의 세계를 접근해 들어가려고 할 때, 내가 계속해서 "해탈"이니, "열반"이니 하는 말들의 위험성을 경고하는 뜻은, 바로 이런 방식의 사유체계가 반드시 무아론이 아닌 비아론과 연결되기 때문인 것이다.

무아론(無我論)에서는 아 즉 아트만의 존재근거가 상실되고 해소된다. 근원적으로, 본질적으로, 실체적으로 아가 성립하지 않는다. 그런데 비아론(非我論)에서는 아(我)와 비아(非我)의 분열이 생겨난다. 다시 말해서 아가 본래적인 자아와 비본래적인 자아로 분열을 일으키며, 이 양자는 항상 대적적 관계로 치립(峙立)하는 것이다. 우리가 해탈이나 열반을 말할 때, 그것을 불을 끈 상태, 무엇으로부터 이탈된 상태를 의미한다면 거기에는 암암리 이러한 분열이 도사리고 있는 것이다. 즉 이탈·해탈은 반드시 "A가 B로부터 벗어난다"고 하는 논리구조, 그러니까 사유구조를 가지고 있는 것이다.

보리수 밑의 싯달타의 명상을 마왕 파피야스와의 투쟁으로 묘사한다면, 그 마라의 유혹에 불타고 있는 나는 비본래적인 자아가 될 것이다. 그리고 그 불이 꺼져서 열반에 든 나는 본래적인 자아가 될 것이다. 이 본래적인 자아는 비본래적인 자아로부터 이탈되었고 해탈되었다. 그래서 열반에 들었다. 이때 육욕에 불타는 비본래적인 자아는 항상 나쁜 놈이고, 그 불이 꺼진 적멸한 자아는 항상 좋은 놈이다. 여기에는 항상 나쁜 놈은 육체적 자아이고, 항상 좋은 놈은 정신적 자아라는 심·신 이원론(body-mind dualism)의 함정이 도사리고 있는 것이다. 이러한 해탈·열반의 사상은 분명 불교가 아니다. 이런 식의 비아론은 무아론이 아닌 것이다. 인도에서는 아의 해탈을 설하지 않는 이론은 존재하지 않는다.[32] 다시 말해서 원시불교가 비아론적인 해탈론·열반론을 고집하는 한에 있어서는 그것은 인도사상의 일반논리를 충실히 계승한 진부

한 이론밖에는 되지 않는다. 상키야 철학이나 쟈이나교로부터 후
대 베단타의 샹카라에 이르기까지의 거대한 인도사상의 홍류의
한 거품에 불과하고 만 것이다. 불교가 참으로 불교가 될 수 있는
아무런 새로운 논리적 근거를 우리는 발견할 수 없게되는 것이다.

  한 풍선이 상자곽 속에 들어 있다. 그런데 이 풍선이 상자곽을
"해탈"하여 자유롭게 날아간다. 이때 상자곽의 모든 것은 나쁜 것
이다. 그리고 풍선은 좋은 것이다. 그리고 상자곽은 시간적인데
반하여 풍선은 무시간적인 것이다. 아의 비아로부터의 해탈이라
고 하는 논리에는 항상 아가 건재하다는 것이다. 그것은 무아론이
아닌 아론이다. 이것은 우파니샤드철학이지 불교철학이 아니다.
싯달타의 혁명은 온데간데 없이 사라지고 마는 것이다. 이러한 풍
선-상자곽의 비유에 깔려있는 사유체계는, 플라톤의 "동굴의 비
유"에 깔려있는 올페이즘적 사유와 완전히 일치하는 것이다. 그
것은 플라톤의 이데아론적인 사유의 한 전형이다. 소크라테스가
죽음에 직면하여 그의 부당한 죽음을 디펜드하는 언사들도, 모두
한결같이 인간의 세계와 신의 세계, 육체의 생멸과 정신의 불멸이
라는 그러한 비아론적 2원론사유에 지배되고 있는 것이다. 「아폴
로지」(*Apology*)나 「크리토」(*Crito*), 「파에도」(*Phaedo*)와 같은 플라
톤의 대화편을 읽어보면 누구든지 그러한 자아의 분열을 쉽게 파
악할 수 있다. 이러한 전통을 이은 기독교적 사유도 끊임없이 죽
음 즉 열반을 말한다. 죽음과 부활의 구조가 곧 기독교의 열반인
것이다. 통속적인 기독교를 믿는 모든 사람들도 한결같이 해탈을

갈구한다. 기독교인들의 영혼이 사후에 천당으로 진입하는 것이나, 불교도들의 아트만이 열반으로 진입하는 것이나 똑같은 해탈론인 것이다. 해탈과 열반을 말하는 한, 기독교와 불교는 하등의 차이가 없다. 그것은 곧 기독교와 불교, 희랍-유대 문화권과 인도 문화권이 공통된 언어문화권일 뿐아니라 상고(上古)로부터 직접·간접으로 교류된 하나의 문화권이라는 사실을 우리는 항상 새롭게 인식하지 않으면 아니되는 것이다. 내가 생각키에, 싯달타는 이러한 해탈·열반의 논리를 주장한 사람이 아니다. 그는 오히려 그러한 해탈·열반론이 풍미하는 자신의 문화전통을 전적으로 거부함으로써 새로운 기원을 이룩한 사상가였고, 사회혁명가였으며, 종교적 실천가였다. 그는 주부-술부구조적인 자기 언어 그 자체에 도전장을 내밀었던 것이다.

나는 일찌기 말했다. 붓다는 엉터리로 안 사람이 아니라, 정말로 안 사람이다. 무얼 어떻게 알았나? 붓다의 깨달음, 붓다의 앎은 삼법인으로도 시원하게 해결되지 않았다. 그렇다면 붓다의 앎은 과연 무엇이었던가? 그는 과연 무엇을 깨달았던가? 나는 이 어려운 질문에 또 다시 매우 단순한 해답을 제시하고자 한다.

그가 깨달은 것은 연기였다.

나는 근본불교를 추구하는 데 있어서, 역사적으로 실존한 X가 있었고, 그 X가 싯달타였으며, 그가 보드가야의 보리수나무 밑에

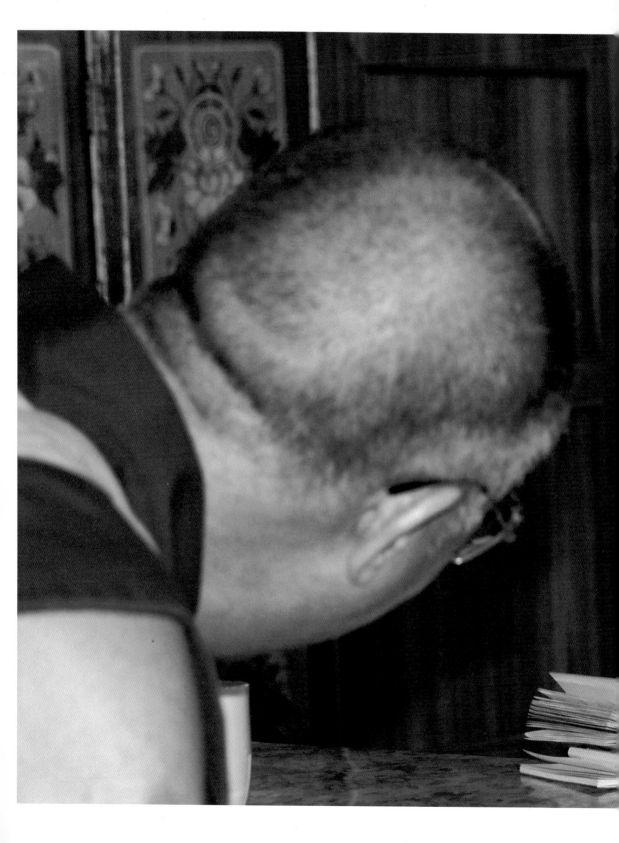

서 명상 끝에 득도하였다는 것을 믿는다고 한다면, 즉 역사적 붓다(the historical Buddha)의 실존을 믿는다고 한다면, 그 역사적 붓다의 사유과정을 추론하는 데 있어서 이 "연기"라는 한마디처럼 유용한 실마리는 없다고 생각한다. 이러한 나의 추론을 정당화하는 것은 『마하박가』를 펼치자마자 등장하는 첫 칸드하카(Khandhaka)의 깨달음의 순간이다.

> 어느 때 세존께서는 우루벨라 마을의 네란자라 강변에 있는 보리수 아래에 계셨다. 그곳에서 처음으로 바르고 원만한 깨달음을 이루신 세존께서는, 다리를 맺고 앉은 채 7일동안 오로지 한 자세로 삼매에 잠겨 해탈의 즐거움을 누리셨다. 그러던 중 밤이 시작될 무렵에 연기(paticcasamuppāda)를 발생하는 대로, 그리고 소멸하는 대로 명료하게 사유하시었다.[33]

나는 이러한 『마하박가』의 구절을 읽을 때, 뭉클 내 가슴의 심연을 치고 솟아올라오는 감동, 영롱하게 반짝이는 나의 눈물맺힌 두 눈동자, 이러한 것들을 고백치 않을 수 없다. 6년간의 치열한 고행 끝에 얻은 한 인간의 깨달음! 그 깨달음, 그 앎의 내용을 우리에게 전달해주는 최초의 언사는, 다름아닌 이 "연기"라는 한마디였던 것이다. 그것은 삼법인도 아니요, 사성제도 아니요, 삼보도 아니요 진여도 아니요, 해탈도 아니요 열반도 아니다. 그것은 바로 연기, 이 한마디였던 것이다.

그가 보리수밑에 명상을 통해 얻은 앎, "일체를 알았다"고 표현한 그 앎의 내용은 국부적인 하나의 앎이 아니라, 최소한 그의 45년간의 기나긴 설법의 전체내용을 포괄하지 않으면 안되는 것이다. "나는 모든 것을 이겼고 모든 것을 알았다. 그래서 나는 붓다가 되었다. 친구들이여! 이제 나를 싯달타라고 부르지 말라! 나는 여래요, 세존이요, 아라한이요, 정등각자이다"라고 서슴없이 외쳐대는 한 인간의 절대적 지적 자신감, 그 전체를 설명할 수 있는 말이어야 하는 것이다. 과연 "연기" 이 한마디로써 그 모든 것이 설명될 수 있을 것인가?

그렇다! 연기는 불교의 알파요 오메가다. 연기는 붓다의 처음이요 끝이다. 연기는 두 밀레니엄 이상의 기나긴 역사 속에서 인류에게 끊임없는 지혜를 제공한 샘물이다. 연기는 45년간의 불타의 설법의 모든 구절에 배어있다. 불타의 모든 언어는 결국 연기 이하나의 깨달음의 다양한 표현일 뿐인 것이다. 연기를 빼놓고는 한 치도 불타를 말할 수 없다. 팔만대장경이 연기, 이 한 글자인 것이다.

간지스 강변 창공을 훨훨 나르는 새들의 제행도 예외없이 연기 속에 있다.

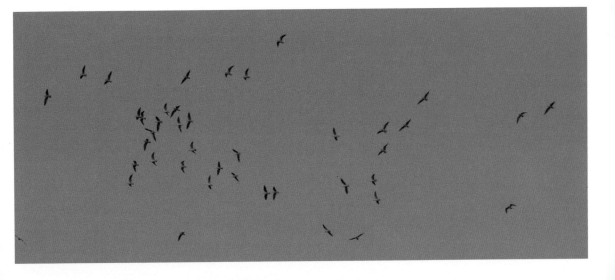

연기란 무엇인가?

　그렇다면 과연 이 연기(緣起, paṭiccasamuppāda)란 무엇인가? 불교에 조금이라도 관심을 가져 본 사람이라면, 연기하면 곧 12지연기론(十二支緣起論)이니, 12지연기설이니, 12인연이니 하여 12개의 고리를 좌악 늘어놓는 것을 들어본 일이 있을 것이다.

　①노사(老死, jarā-maraṇa)→ ②생(生, jāti)→ ③유(有, bhava)→ ④취(取, upādāna)→ ⑤애(愛, taṇhā)→ ⑥수(受, vedanā)→ ⑦촉(觸, phassa)→ ⑧육처(六處, saḷāyatana)→ ⑨명색(名色, nāma-rūpa)→ ⑩식(識, viññāṇa)→ ⑪행(行, saṅkhāra)→ ⑫무명(無明, avijjā) 운운…. 그리고 삼세양중(三世兩重)의 인과(因果)니, 태생학설(胎生學說)이니 운운하는 것을 들어본 일이 있을 것이다. 그리고 말하기를 12지연기론이야말로 근본불교의 요체며, 모든 현상이 일

어나는 원리요 도리요 이법이다 운운! 그런데 우리는 이런 말을 들으면 당장 골치가 지끈지끈 아파지고, 도무지 불교는 알 수 없는 먼나라의 이야기가 되고 말아지는 것이다. 연기론이라는 것이 또 하나의 원리적인 실체가 되어버리고 마는 것이다. 아이쿠 두야! 그런데 이런 말을 하는 사람들은 다음과 같은 붓다의 말에서 그런 생각을 하게 되는 것이다. 팔리장경 『중니까야』(中尼柯耶) 제28,「상적유대경」(象跡喻大經)에 다음과 같은 유명한 말이 있다.

연기를 보는 자는 곧 법을 보는 것이요, 법을 보는 자는 곧 연기를 보는 것이다.[34]

그리고 또 말하기를,

연기를 보는 자는 법을 본다. 법을 보는 자는 곧 나 부처를 본다.[35]

이러한 말들은 우리에게 연기가 얼마나 부처의 사상의 핵심을 관통하고 있는 중요한 것인가를 단적으로 설파해주고 있지만, 이러한 말 때문에 또 연기가 곧 지고한 법, 무상의 원리라는 생각을 해서도 아니되는 것이다. 여기서 법(dhamma)이라고 하는 것은 도(道, Tao)와도 같은 지고한 원리가 아니라, 그냥 단순한 유위·무위의 모든 존재하는 것들, 즉 우리가 일상적으로 경험하는 일체의 사물을 가리키는 것이다. 연기를 보는 자는 법을 보는 것이요, 법을 보는 자는 부처를 보는 것이라고 한 말은, 연기 그 자체가 지고의 법이라는 것을 주장하고 있는 것이 아니라, **연기의 방식으로 사물을 볼 줄 알아야만 곧 깨달음에 도달케 된다**는 매우 단순한 뜻이다.

12연기를 내가 지금 여기 설파한다해도, 독자들은 결코 연기를 이해하지 못할 것이다. 나는 대학교시절때 "12연기설"을 배운 이래, 오늘날까지 단 한 번도 12연기설을 바르게 이해했다는 자신감을 가져본 적이 없다. 12연기설에 대한 논란은, 해석의 방식이 너무도 다양하고 갈래가 많아 그칠 길이 없는 것이다. 그리고 나는 왜 노병사(老病死) 다음에 꼭 생(生)이 와야만 하며, 생 다음에 꼭 유(有)가 와야만 하며, 유 다음에 꼭 취(取)가 와야만 하며, 취(取) 다음에 꼭 갈애(渴愛)가 와야만 하는지 그 "꼭"을 이해할 길이 없었다. 싯달타의 머리 속에서는 그 "꼭"이 꼭이었을지는 모르지만, 도무지 내 머리 속에서는 그것이 꼭이 될 길이 없었다. 그 인과관계가 꼭 그렇게 되어야만 할 하등의 필연성이 확보되질 않았던 것이다. 그렇다면 도올 김용옥은 영원히 싯달타를 이해못하는 천치바보로서 이 한많은 생애를 마감하고 말것인가?

임마누엘 칸트는 그의 강의를 수강하는 학생들에게 항상 다음과 같이 말하곤 했다.

나는 그대들에게 철학(Philosophie)을 가르치지 않는다.
나는 그대들에게 철학하는 것(philosophieren)을 가르칠 뿐이다.

나는 불행하게도 불교교설에 관한 한 다음과 같이 나에게 말해
주시는 스승님을 만나질 못했다.

"나는 그대들에게 12지연기론을 가르치지 않는다. 나는 그대들
에게 연기적으로 생각하는 법만을 가르칠 뿐이다."

인도에서 인간과 더불어
사는 것은 소뿐만이 아
니다. 돼지고 개고 염소
고 모든 가축이 문명 속
에서 방목된 채로 인간
과 공존하고 있다. 도심
한가운데서 멧돼지를 몰
고 다니는 목동을 자주
만날 수 있다.

감히 일갈하건대 12연기설은 개똥이다. 아니 소똥이다. 아니 개
똥도 소똥도 아니다. 그것은 정말 아무것도 아닌 것이다. 그것은
장자(莊子)의 말대로 싯달타의 생각 그 자체가 아니요, 싯달타의
생각의 족적이요 조백(糟魄)일 뿐이다. 그것은 고인의 똥찌꺼기에
불과한 것이다(『莊子』「天道」). 많은 사람들이 나를 만나려고 애를

쓰는데 그것처럼 어리석은 일이 없다. 만나봐야 밥먹고 똥싸는 천지간의 미물일 뿐이요 범인의 자태와 아무것도 다를 것이 없는 볼품없는 혈혈단신이다. 나에 대한 진정한 관심이 있다면 나를 만날 것이 아니라, 나의 생각을 만나야 하는 것이다. 우리가 역사적 붓다를 추구한다고 하는 것은 또 다시 싯달타라는 어느 역사적 인물의 실체를 만나려는 것이 아니다. 그 실체로서 가정되는 존재의 사유로 직입하려는 것이다. 연기론이야말로 불타의 연기적 사유로 직입하는 최대의 걸림돌이 될 수도 있는 것이다. 비록 후대 대승경전이긴 하지만 『능가경』에는 죽음에 직면한 붓다가 숨을 거두기 전에 다음과 같은 말을 하는 것이 수록되어 있다.

나는 최상의 바른 깨달음을 얻어 열반에 들기까지 그 사이에 단 한 글자의 말도 하지 않았다.[36)]

12지연기의 내용을 자세히 살펴보면, 그것은 분명 보리수나무 밑에 앉아 있었던 싯달타가 가부좌 명상 속에서 사유한 과정을 표현한 어떤 도식임에는 틀림이 없다. 그러나 그 보리수나무 아래의 싯달타의 명상의 내용은 분명 이 우주와 인간, 우리가 생각할 수 있는 모든 것에 대한 통찰이었으며, 그것은 무수한 갈래의 사유과정이었을 것이다. 그 무수한 갈래의 사유를 도식적으로 요약해놓은 것이 바로 12지연기이기 때문에 12지연기의 내용은 그 배경에 있는 무한한 생각들과의 관련 속에서 추론하지 않으면 안된다. 그리고 그 12지연기의 모든 항목을 자세히 뜯어보면 35세의 싯달타가 얼마나 해박하고 고도의 개념적 지식을 소유한 인물이었는지도 쉽게 간파할 수 있다. 나는 그가 카필라성의 왕자였다는 전기적 사실을 액면 그대로 수용하는 사람이 아니지만, 그는 분명 부유한 환경속에서 엄청난 학문적 디시플린을 축적했던 어떤 사람이었음이 틀림이 없다. 기존의 모든 인도경전에 달통한 인물이었음에 틀림이 없다. 『숫타니파타』(*Suttanipāta*)에는 고타마 싯달타는 "진정한 브라흐만"이 되는 길을 가르치는 사람으로 묘사되고 있다. 그러한 해박한 사유의 기초 위에서 고행의 체득과정을 거친 이후에 12지연기론이라고 하는 엄청난 학설을 제시하였던 것이다. 12지연기의 모든 항목 속에는 유식을 포함하는 후기 모든 논설들의 가능성이 이미 함축되어 있다. 그러나 이 12지연기에 대한 도식적 이해로써는 도저히 싯달타의 사유의 과정에 계합할 수가 없다. 붓다의 말대로 붓다 자신은 한 글자도 말하지 않았다. 우리는 연기론 아닌 연기적 사유로 직입해야 하는 것이다. 그렇다면 과연 연기론 아닌 연기적 사유란 무엇인가?

연기(緣起)란 사물이 존재하는 방식이 반드시 연(緣)하여 기(起)한다는 것이다. "연(緣)한다"는 것은 "원인으로 한다"는 뜻이요, "기(起)한다"는 것은 "생겨난다"는 뜻이다. 다시 말해서 연기란, "A로 연하여 B가 기한다"는 뜻이다. 다시 말해서 "A를 원인으로 하여 B라는 결과가 초래된다"는 뜻이다. 요새 말로 하며는 "연기"란 원인과 결과를 뜻하는 것이며 그것을 축약하여 인과(因果, causation) 또는 인과관계(causational relation)라 할 수 있는 것이다.

힌두이즘(Hinduism)을 일본 학자들은 인도교라고 부르기도 한다. 인도인의 종교를 총칭하는 것으로 특정한 제도종교라고 부르기 어려운 인도인의 생활관습에 대한 일반명사인 것이다. 힌두이즘이 하나의 종교로서 인식되기 시작한 것은 불교의 영향이 크다. 불교라는 새로운 종교운동이 브라흐마니즘에 대한 반동으로서 성립하자 그 불교의 승가집단에 대하여 힌두이즘이라는 새로운 반동이 생겨났던 것이다. 불교가 쇠퇴한 후 인도의 역사는 힌두이즘과 이슬람의 대결의 역사라고도 말할 수 있다. 인도에 있어서 이슬람의 역사는 정복왕조의 역사와 일치한다. 이슬람 정복왕조를 이해하려면 우리는 서북쪽의 터키·아프가니스탄지역을 중심으로 하는 중앙아시아의 역사를 이야기 해야 한다. 가즈니의 마흐무드(Mahmud of Ghazni)는 아프가니스탄지역에 강력한 이슬람왕국을 세웠다. 이 왕국은 셀쥬크왕조를 거쳐 결국 구르왕조의 손에 떨어졌다. 구르왕조의 무하마드(Mohammed of Ghur)는 1191년 편잡을 넘어 북인도

즉 연(緣)은 원인이요, 기(起)는 결과라 말해도 대차가 없다. 보통 인연(因緣)이라 말할때, 그것은 인(因)과 연(緣)의 합성어인데, 보통 인(hetu)은 직접적 원인을 지칭하고 연(pratyaya)은 그 직접적 원인을 형성하는 주변의 조건들이나, 보조적인 간접원인을 가리키는 것으로 되어 있는데, 실제로 초기불전에 있어서 대부분 인과 연의 그러한 엄격한 구분은 존재치 않는다. 결국 인과 연은 같은 것이다. 따라서 연기라는 것은 요새말로 인과라고 생각하면 된다. 인과란 무엇인가? 그것은 원인이 있으면 반드시 결과가 있고, 결과가 있으면 반드시 원인이 있다는 것이다. 따라서 원인이 없으면 결과도 없을 것이요, 결과가 없으면 원인도 없을 것이다. 이러한 인과를 원시경전은 다음과 같이 명료하게 규정하고 있다. 『잡아함경』 권12에 이르기를:

나는 그대들에게 인연법을 말하겠다. 무엇을 인연법이라 하는가? 그것은 곧 이것이 있기 때문에 저것이 있다는 것을 말하는 것이다. [37]

권15에 또 말하기를:

이것이 있기 때문에 저것이 있고, 이것이 일어나기 때문에 저것이 일어난다. [38]

此有故彼有, 此起故彼起。

아니, 결국 연기라는 게 이렇게 시시한 것인가? 우리가 어떤 사태를 말할 때, 원인이 있으면 반드시 결과가 있다, 결과가 있으면 반드시 원인이 있다, 이따위 정도의 말이 싯달타의 아뇩다라삼먁삼보리, 그 무시무시한 무상정등정각의 전부란 말인가? 그렇다! 미안하지만 그렇다! 바로 그게 싯달타의 교설의 전부요, 불교(佛敎는 붓다의 가르침이라는 뜻이다)의 전부다. 불교는 이 한마디에서 한 치도 벗어남이 없다! 이 한마디를 벗어나면 그것은 불교가 아니요, 사기요 이단이다!

지금 이 순간에, 나의 논리를 엄청난 긴장감 속에서 놓치지 않고 따라온 많은 독자들의 실망감을 생각하면 나는 이 붓을 옮기기가 어렵다. 그러나 격려하고 싶다. 몇 호흡만 늦추고 이제부터 내가 말하는 것을 차분하게 생각해주기 바란다고. 모든 지극한 지식이나 깨달음은 가장 평범하고 상식적인 체험 속에 있는 것이다. 인간은 참으로 상식적이기가 가장 어려운 것이다.

세간에 도통했다 하는 자들이 많이 있다. 엄청난 진리를 발견했다고 외치는 자들이, 전혀 새로운 비의적 진리를 깨우쳤다고 자신하는 자들이, 새벽별이 뜰 때 홀연히 정각을 얻었다고 선포하는 자들이, 새로운 종교를 펼칠려고 하고, 보살심으로 중생을 교화하겠다고 발심한다. 나는 그들에게 무릎꿇고 애원하고 싶다. 우리 인류에게 이미 종교는 만원이다. 제발 새로운 종교를 개창하려 하지 말라! 남이 다 해먹는다고 나도 또 해먹겠다고 덤비지 말라!

를 침범한다. 그의 첫시도는 실패로 돌아갔으나 다음 해 1192년 그의 노예였던 명장 꾸틉 웃딘(Qutb-ud-din)이 델리를 점령한다. 무하마드는 가즈니로 돌아가면서 꾸틉 웃딘을 델리의 총독으로 임명한다. 무하마드의 사후 꾸틉 웃딘은 델리의 술탄이 되었고 이로써 인도에 최초의 이슬람왕조가 성립하였다(1206년). 이 최초의 이슬람왕조를 그 개조가 노예 출신이었기에 우리는 노예왕조(Slave Dynasty)라고 부르는 것이다. 여기 델리 남쪽에 있는 이 꾸틉 미나르(Qutb Minar)는 1193년부터 지어지기 시작한 노예왕조의 전승기념탑이다. 이것은 20세기 간디의 독립운동에 이르기까지의 기나긴 인도 역사의 비극의 출발이기도 했지만, 어쩌면 오늘의 인도의 모습을 탄생시킨 인도의 운명이기도 했다. 콩코드 광장의 오벨리스크를 무색케 만드는 아름다운 탑이었다. 사암과 대리석의 조화로 이루어진 5층의 원탑인데 각 층의 경계마다 발코니가 둘러져져 있다. 지면의 직경은 15m, 꼭대기 직경은 2.5m, 높이는 73m에 이르고 있다.

늠름한 총각들을, 아리따운 소녀들을 정욕의 번뇌로부터 구원해
주겠다 하고 승가의 울타리에 가두는 그러한 가혹하고도 어리석
은 짓들은 더 이상 범하지 말라!

싯달타가 보리수 아래서 증득한 아뇩다라삼먁삼보리의 내용은
내가 확언하는 바대로 "연기" 이 두 글자를 벗어나지 않는다. 사
실 이것은 매우 합리적인 것이며 매우 상식적인 것이다. 그리고
그것은 궁극적으로 홀로 증득한 것이다. 그래서 싯달타는 "스스
로 깨달았으니 그 누구를 따르리오? 나에게는 스승이 없다!"고 외
쳤던 것이다. 스승이 없다고 외치는 인간이라면, 사실 그 정직한
논리에 따라 자신 또한 제자를 두면 안된다. 홀로 증득한 것은 홀
로 거두지 않으면 안된다. 그리고 그 자각의 내용은 특별히 말할
것이 없는 매우 상식적인 것이며 남에게 특별히 설할 필요가 없는
것이다. 그래서 싯달타는 대각 후에 설법하지 않기로 작심하였던
것이다.

싯달타가 고행한
시타림 주변의 광경.
매우 척박한 곳이었다.
맨발로 엄마 뒤를
졸랑졸랑 따라가는
아이들의 모습이
인상적이다.

이때에 세존께서는 한가롭게 마음을 가라앉히고 묵묵히 앉아있는 가운데 이러한 생각이 떠올랐다.

"내가 증득한 이 법은 깊고 깊어 보기 어렵고, 이해하기 어렵고, 고요하고 미묘하다. 일상적 사색의 경지를 벗어나 지극히 미세한 곳을 깨달을 수 있는 슬기로운 자들만이 알 수 있는 법이다. 그런데 사람들은 탐착하기 좋아하여, 아예 탐착을 즐긴다. 그런 사람들이 '이것이 있으므로 저것이 있다'는 도리와 연기의 도리를 본다는 것은 참으로 어려운 일이다. 또한 일체의 행(行)이 고요해진 경지, 윤회의 모든 근원이 사라진 경지, 갈애가 다한 경지, 탐착을 떠난 경지, 그리고 열반의 도리를 안다는 것은 참으로 어려운 일이다. 내가 비록 법을 설한다해도 다른 사람들이 이해하지 못한다면 공연히 나만 피곤할 뿐이다."

그때 세존께서는 예전에 들어보지 못한 게송을 떠올리셨다.

"나는 어렵게 깨달음에 도달하였다.
그러나 내 지금 무엇을 말하리!
탐착에 물든 자들이 어떻게 이 법을 보겠는가?
어둠의 뿌리로 뒤덮인 자들이여."

이와 같이 깊이 사색한 세존께서는 법을 설하지 않기로 하셨다.[39]

여기에 많은 미사여구가 들어있지만 인간 싯달타의 솔직한 심정을 드러내는 매우 아름다운 문장이라고 생각한다. "나는 법을 설하지 않으리!" 이것은 많은 불교도들이 간과하고 있는 인간 싯달타의 청순한 영혼의 양심이요, 위대한 각자의 최후적 양심이다. 싯달타는 우리나라의 신흥종교를 개창하는 자들처럼 중생을 제도하겠다는 건방진 일념으로 득도의 삶을 추구했던 그런 종교적 인간이 아니었다.

이때 사함파티(Sahampati)라는 범천(=브라흐만)이 자신의 마음으로 세존의 마음속을 알고서 이렇게 생각했다.

"아아! 세상은 멸망하는구나! 아아! 세상은 소멸하고 마는구나! 여래·응공·정등각자가 마음속에만 묵묵히 담고 있고 그 법을 설하지 않는다면!"

그리고 세존 앞에 현신하여 한쪽 어깨를 드러내고, 오른쪽 무릎을 땅에 꿇은 채 세존을 향해 합장하며 간청했다.

"세존이시여! 법을 설하소서. 선서(善逝)께서는 법을 설하소서. 삶에 먼지가 적은 중생들도 있습니다. 그들이 법을 듣는다면 알 수 있을 것이오나, 법을 설하지 않으신다면 그들조차 쇠퇴할 것입니다."

세존은 사함파티의 간곡한 청을 계속 들으시면서도 계속 반복하여 말씀하시었다.

"나는 어렵게 도달하였다…
어떻게 이 법을 보겠는가?
어둠의 뿌리로 뒤덮인 자들이.
범천아! 이런 깊은 사색 끝에
나는 법을 설하지 않기로 하였던 것이다."

신흥종교를 개창하려는 모든 자들에게 나는 권고한다. 이 싯달타의 순결한 영혼의 독백에 단 한번이라도 그대의 남은 양심을 기울여달라고.

연기·인과는 우리가 아는 대로 매우 시시한 것이다. 그런데 이 연기(인과)라는 말이 우리에게 아뇩다라삼먁삼보리의 대각의 케리그마로 들리지 않고 진부한 속언처럼 시시하게 들리는 데는 크나큰 원인이 있다. 그것은 우리가 이미 연기적 세계관 속에서 살고 있기 때문이다. 여기서 지금 말하는 "우리"는 역사적 우리다. 그 우리는 항상 시간성 속에 있는 우리다. 그것은 연기된 우리인 것이다. 이 역사적 우리를 특징지우는 것은 근대적 시민사회에 살고 있는 우리라는 것이다. 그런데 이 근대적 시민으로서의 우리에게는 암암리 교육을 통해서 받은 공통된 세계관이 있다. 그 세계관이란 우리 주변의 사물을 인식하는 인식방법에 관한 것이다. 그 인식방법을 우리는 과학(Science)이라고 부른다. 과학은 스키엔티

꾸튭 미나
르 곁, 인도
땅에 세워
진 최초의 이슬람 사원,
꾸와트 울 이슬람 마스지
드(Quwwat-ul-Islam
Masjid). 이 아름다운 폐
허의 문은 사원의 이름이
뜻하는 바 파우어 어브 이
슬람(the Power of Islam)
을 상징하고 있다. 1193년
노예왕조의 창시자 꾸튭
웃 딘은 이슬람의 힘을 과
시하기 위하여 이 사원을
짓기 시작했던 것이다.

아(scientia)라고 하는 것인데, 그것은 지식(Knowledge)이란 뜻이
다. 즉 과학이란 이 세계, 이 우주, 이 인간에 대한 앎, 더 정확하게
말하면 앎의 방식이다. 과학은 지식이요, 지식은 앎이요, 앎은 깨
달음이다. 이 과학이라는 깨달음이 보편화된 사회를 우리는 근대
사회라고 부르고 있고 그 근대사회에 사는 사람을 근대시민이라
고 부른다. 그런데 이 근대시민들이 교육을 통하여 공통적으로 형
성한 과학적 세계관의 특징이란 바로 인과적으로 사물을 파악한
다는데 있다. 과학은 사물을 아무렇게나 쳐다보는 것이 아니라,
현재 우리가 목격하고 있는 모든 현상의 운동·활동체계가 반드시
어떠한 원인에 의하여 연기되었다고 생각하는 것이다. 그 원인과
결과의 관계를 결정지우는 보편적 법칙이 있다고 생각하며, 그 보
편적 법칙을 우리는 과학적 법칙(scientific law)이라고 부르고 있는

것이다. 따라서 과학적 법칙을 떠난 이 세계 이해방식을 미신이라
든가, 초험적인 것으로 괄호에 넣거나 배척하거나 한다.

어떤 사람이 죽었다. 어떻게 죽었나? 그는 자기의 신념때문에
박해를 받아 로마의 재판을 받고 십자가형에 처해져서 죽었다. 어
떻게 죽었나? 양 손바닥과 발목에 큰 못이 박혔다. 그래서 어떻게
되었나? 출혈이라는 현상이 생겼다. 그래서 순환계의 장애가 초래
되고 심장의 박동이 멈추었다. 그리고 몸은 부패하기 시작했다.
그리고 부패한 사체를 까마귀가 쪼아먹기 시작했다, 운운… 그런
데 이러한 사태를 연하여 다시 살아난다는 결과는 초래되지 않는
다. 우리가 과학적 인과관계 즉 과학적 연기를 받아들이는 한에
있어서는 이러한 종교적 사실은 연기의 사실로서 인정이 될 수가

이 사원은 이슬람 마스지드
(모스크)인데도 불구하고
힌두 모티프의 석주들로
가득차있다.
27개의 힌두사원을
파괴하고 그 석재를
이슬람 사원의 건자재로
그냥 활용했기 때문이었다.
양대 종교의 충돌과 융합의
현장이랄까?

없는 것이다. 그래서 과학과 종교는 충돌을 일으켰다. 그것이 우리가 목격한 르네쌍스시대의 개화백경 아닌 부흥백경이었다.

그런데 싯달타의 사유체계에 있어서는 전혀 이와 같은 과학과 종교의 충돌은 있을 수가 없다. 싯달타의 명상은 바로 우리가 과학이라고 부르는 세계관, 그 합리적 법칙체계를 앞지른 선구적 작업이었기 때문이다. 사실 우리가 그냥 상식으로 받아들이고 있는 과학적 세계관은 인류역사를 통해 싯달타와 같은 수없는 붓다들, 이 우주와 인간에 대하여 남다른 통찰을 한, 수 없는 각자들이 발견한 연기적 법칙들의 축적에 의하여 형성되어온 것이다. 우리는 위대한 과학자를 붓다라 아니 부를 이유가 없는 것이다. 아인슈타인은 20세기의 붓다(각자)였다. 아인슈타인이라는 독일의 한 청년이 골방에 쑤셔박혀 명상한 연기법칙의 내용으로 인류를 수억겁년 동안 지배해온 공간과 시간의 개념 그 자체가 혁명적 변화를 일으켰다고 한다면, 그러한 변화의 폭은 물리적으로나 정신적으로나 인간세에 등장한 어떠한 종교가 일으킨 변화의 폭보다도 큰 것이라고 말 할 수도 있다. 그의 일반상대성이론은 우리가 실제로 이 세계를 해석하는 이해의 방식을 근원적으로 변화시켰을 뿐 아니라, 그러한 새로운 이해의 방식은 물리적인 현실로 입증되었던 것이다. 다시 말해서 "$E=MC^2$"은 연기의 법칙일 뿐만 아니라, 원자폭탄이라는 구체적인 물리적 현상이기도 했던 것이다. 그러나 이러한 원자폭탄이 히로시마에 투하되었을 때, 죄없는 수많은 생령들이 고통과 신음 속에 쓰러져 가야만 했고, 그것은 일본의 가

혹한 제국주의에 대한 당연한 응징이기에 앞서 인간세의 무력적 대결을 한 차원 더 높은 극악한 상황으로 조장시키는 결정적 계기가 되었다. 그것은 미소냉전체제의 출발이자 미제국주의의 오만의 시발이었다. 결국 아인슈타인의 연기의 법칙은 인간세의 고통을 해결하는 방향에서만 작동하였던 것은 아니었다. 여기에 바로 인간 싯달타가 고뇌하는 연기적 실상의 총체적 문제가 내재하는 것이다.

과학적 연기법칙의 대상은 주로 물리적 현상에 관한 것이었다. 그렇다고 싯달타의 연기적 직관이 정신적 현상에 국한된다고 말해서는 아니 된다. 싯달타에게는 물리적 현상과 정신적 현상을 구분짓는 심신이원론적 사고가 전제되어 있질 않다. 흔히 내연기(內緣起: 정신적 현상의 분석), 외연기(外緣起: 물리적 현상의 분석)라고 부르는 그러한 분별적 의식이 싯달타의 명상에는 전제되어 있질 않았다. 그러나 청년 싯달타의 일차적 관심은 분명 인간의 노(老)·병(病)·사(死)라고 하는 고통스러운 인간세의 윤리적 과제 상황에 있었던 것은 분명하다. 그는 인류사상 최초로 과학과 종교와 윤리를 통합하는 대 통일장론의 연기체계를 수립하려고 시도한 대사상가였고 대각자였다.

인간은 왜 고통스럽게 늙어가고 또 죽어야 하는가? 왜? 왜? 그 왜를 나에게 말해달라! 인간의 노사는 인간이 태어났기 때문에 있는 것이다. 즉 노사(老死)는 태어남(生)을 연(緣)으로 하여 기

(起)한 현상이다. 그렇다면 왜 태어남이 있는가? 태어남은 또 무엇에 연(緣)하여 기(起)하는가? 그것은 사물이 존재하기 때문이다. 사물에 존재성(業有)이 있기 때문이다. 사물이 존재한다는 그 사실 때문에 태어남이 있게 된 것이다. 그렇다면 그 존재성 그 자체는 무엇 때문에 생겨나는 것인가? 그것은 많은 존재의 가능성 중에서 어떠한 존재를 취사선택하는 취함(取)이 있기 때문이다. 그

부처님 대각지에서
탑돌이를 하고 있는
사람들에게 사원 담
격자사이로 내민
문둥이의 구걸하는 손

렇다면 또 그 취함은 어떻게 생겨난 것인가? 무엇에 연하여 기한 것인가? 그것은 갈망하는 사랑(渴愛, taṇhā)이 있기 때문에 생겨난 것이다. 사랑이라는 집착이 없으면 분별적 선택, 즉 취함이 있을 수 없을 것이다. 사랑했기 때문에 취한 것이다. 그렇다면 그 사랑은 또 왜 생겨난 것인가? 무엇에 연하여 기한 것인가? 사랑이란

감수성(受, vedanā)이 있기 때문에 생겨난 것이다. 희로애락을 감수할 수 있는 그러한 센시티비티가 있기 때문에 감수성이 생겨난 것이다. 그렇다면 그 감수성은 어떻게 생겨난 것인가? … 이렇게 이렇게 끊임없이 싯달타의 사고는 진행되었던 것이다. 이것은 매우 개방적이고 사실적이고 합리적인 인간의 사유추리 과정이다. 그러면서 동시에 사물의 법칙이다. 老死←生←有←取←愛←受←……

인간의 갈애를 관조하는 티벹 스님. 마하보디 템플 경내

그런데 우리는 반드시 싯달타가 연기를 추적한 방식으로 꼭 연기를 추적해야 할 이유가 없다. 그것은 싯달타라는 한 개인의 추리방식이요, 사물의 연결고리의 이해방식이다. 나는 왜 늙고 죽어가는가? 그것은 내가 태어났기 때문이다. 나는 왜 태어났는가? 그것은 나의 아버지의 정자와 나의 어머니의 난자가 결합했기 때문이다. 나의 아버지의 정자와 나의 어머니의 난자는 왜 결합하게 되었는가? 나의 아버지의 성기와 나의 어머니의 성기가 교합되었기 때문이다. 나의 아버지의 성기와 나의 어머니의 성기는 왜 교합되었는가? 나의 아버지와 나의 어머니가 결혼을 했기 때문이다. 그런데 나의 아버지와 나의 어머니는 왜 결혼을 하게 되었는가? 나의 아버지와 나의 어머니는 서로 사랑을 했기 때문이다. 나의 아버지와 나의 어머니는 왜 사랑을 하게 되었는가? …… 노사(老死)←생(生)←정・난자 랑데뷰←성기교합←결혼←사랑 ……

　이러한 연기추론이 "일인일과"(一因一果)라고 하는 시간상의 인과관계를 고수하는 한에 있어서 그것은 선택된 추론일 수밖에 없다. 추론자의 세계관이나 가치관에 따라 무한히 다양한 연기고리가 성립할 수밖에 없는 것이다. 우리는 얼마든지 우리 자신의 연기를 만들 수 있다는 것이다. 그런데 싯달타의 연기론을 우리의 삶의 문제를 해결하기 위한 하나의 진리체계로서 받아들이는 한에 있어서 우리가 주목하지 않을 수 없는 하나의 중요한 사실이 있다. 최소한 이러한 모든 연기고리의 종착역은 반드시 무명(無明, 팔리어 avijjā, 산스크리트어 avidyā)으로 귀결되지 않을 수 없다는 것이다. 우리의 삶의 고통과 번뇌의 근원은 바로 이 무명(無明)이었다는 데 싯달타라는 대 사상가의 궁극적 깨달음이 있었던 것이다. "무명"이라는 한역술어는 『초사』(楚辭)에 그 용례가 있지만, 그것은 분명 "명"(밝음)에 반대되는 개념이다. 그것은 앎에 대하여 상대적으로 설정된 무지이다. 결국 인간의 모든 윤리적 과제상황은 "무지"에 있었다는 것이다. 즉 인생이나 사물의 진상에 관하여 밝은 앎을 지니지 못한 상태에 모든 인간의 고뇌상황의 근원이 있다고 보는 것이다. 그런데 후기불교의 발전은 이 12지연기설을 금과옥조로 삼다보니까 그 연기고리의 종착역인 "무명"에다가 특별한 의미를 부여하여 "근본무명"(根本無明), "원품무명"(元品無明) 운운하면서 또 다시 무명 그 자체에 실체성을 부여하는 어리석은 짓들을 일삼았다. 무명은 결코 아리스토텔레스가 말하는 "불피동의 사동자"(Unmoved Mover)가 아닌 것이다.

평화롭게 세발 자전거를
몰고가는
신체부자유자 형제.
부처님 탄생지
네팔 룸비니로 가는 길

순관과 역관

무명이란 무엇인가? 무명이란 그것 자체로 존재하는 궁극적인 그 무엇이 아니라, 바로 우리가 논의하고 있는 연기의 실상에 대한 우리의 무지를 말하는 것이다. 무명조차도 끊임없는 연기의 고리 속에 있는 것이지, 그것이 인과 밖에 있는 어떤 실재는 아닌 것이다. 다시 한번 『마하박가』에서 싯달타의 최초의 깨달음의 순간을 전달하는 문구를 되씹어보자!

그러던 중 밤이 시작될 무렵에 연기를 발생하는 대로, 그리고 소멸하는 대로 명료하게 사유하시었다.

여기 "발생하는 대로"라는 것은 흔히 순관(順觀)이라고 하는 것인데 이것은 "A에 연하여 B가 생한다"는 것을 관찰하는 것을 말한 것이다. 다시 말해서 싯달타의 사유의 출발은 늙음(老)·죽음(死)·슬픔(愁)·눈물(悲)·괴로움(苦)·근심(憂)·갈등(惱)이었다. 싯달타는 물론 최초에는 이 노사(老死)의 현실로부터 그 원인을 추적해 올라갔을 것이다. 그리고 최후의 무명으로부터 다시 생기하는 과정을 따라 내려왔을 것이다. 이러한 사유의 두 방향성은 근원적으로 동시적이라고 보아야 한다. 이와 같이 인간의 괴로운 현실이 생성되는 과정을 사유한 것을 순관(順觀)이라고 부른다. 이것을 최후항목인 무명으로부터 이야기하면 다음과 같다.

무명(無明)에 연(緣)하여 행(行)이 생(生)하고

행(行)에 연하여 식(識)이 생하고

식(識)에 연하여 명색(名色)이 생하고

명색(名色)에 연하여 육처(六處)가 생하고

육처(六處)에 연하여 촉(觸)이 생하고

촉(觸)에 연하여 수(受)가 생하고

수(受)에 연하여 애(愛)가 생하고

애(愛)에 연하여 취(取)가 생하고

취(取)에 연하여 유(有)가 생하고

유(有)에 연하여 생(生)이 생하고

생(生)에 연하여 노사(老死)가 생한다.

이렇게 하여 괴로움의 씨앗들(苦蘊, dukkhakkhandha)이 함께 모여 일어나는 것(集起, samudaya)이다.

그런데 이러한 순관은 순관으로 그치는 것이 아니라, 반드시 역관과 동시적으로 이루어져야 한다는 것이다. 이것이 곧 "발생하는 대로 그리고 소멸하는 대로" 명료하게 사유하시었다는 의미이다. 여기서 역관(逆觀)이란 "A에 연하여 B가 생한다"는 순관의 명제에 대하여, 동시에 "A가 멸하면 B가 멸한다"는 것을 의미하는 것이다. 다시 말해서 역관이란 "소멸하는 대로 명료하게 사유하시었다"를 의미하는 것이다.[40) 바로 여기에 싯달타의 인과성의 통찰이 근대자연과학의 인과성 통찰과 다른 어떤 차원이 도입되고 있는 것이다. 자연과학의 인과적 통찰은 하나의 사태에 대하여 원인을 규명하고, 또 한 원인이 있으면 미래에 어떠한 사태가 결과되리라는 것을 예측하는 것이다. 자연과학에 있어서나 싯달타에게 있어서나 인과는 동시(同時)일 수 없다. 인(因)과 과(果)는 반드시 시간상의 전후관계에 있는 것이다. 그런데 싯달타의 인과(연기)의 특징은 반드시 생성의 인과와 소멸의 인과를 동시에 관(觀)한다는 것이다. 여기 12지연기의 추론에 있어서의 각 항목, 즉 각 지(支)를 법(法)이라고 부른다. 제법(諸法)이라 말할 때의 그 법인 것이다. 그런데 이 모든 연기상의 법들은 연(緣, paccaya)에 의하여 생기(生起, samudaya)되는 것이라고 한다면 반드시 언젠가는 지멸(止滅, nirodha)되는 것이다. 우리가 우리 삶의 생성의 인과를 추구하는 이유는 생성의 인과에 대한 객관적 지식을 얻고자 하는 것이 아니요, 그 생성의 인과를 파악함으로써 소멸의 인과를 성취하고자 하는 것이다. 우리가 우리 몸의 병(고통)의 원인을 캐는 이유는 바로 그 원인을 소멸시킴으로써 병이라는 현상을 제거하자는데 그 궁극적 목표, 윤리적 지향이 있는 것이다. 불교용어로, 순관 즉 생성의 인과는 유전연기(流轉緣起)라 부르고, 역관 즉 소멸의 인과는 환멸연기(還滅緣起)라 부른다. 환멸연기를 설한 『마하박가』의 대목은 다음과 같다.

불교에서는 붓다의 설법을
"진리의 수레바퀴를 굴린다"
(전법륜, 轉法輪)라고 한다. 따라서
그의 최초의 설법을 초전법륜이라 한다.
이 초전법륜의 모습은 반드시 전법륜 수인
(다르마차크라무드라, dharmacakramudrā)이라는
양식으로 표현된다.
엄지와 검지를 말아 바퀴모양을 만들고
한 손은 바닥이 보이게 하고
한 손은 등이 보이게 하여 대는데
여러 변양이 있다.
연좌대아래 바퀴가 있고
주변에 설법을 듣는 최초의 제자가 있다.
때로는 그 자리에 사슴이 있기도 하다.
아잔타석굴의 불상은
대체로 초전법륜상이다.
사르나트 고고학박물관의
이 대표적 초전법륜상은
굽타시대 작품(AD 465~85사이로 추정),
높이 160cm.

무명(無明)이 남김없이 멸하면 행(行)이 멸한다.

행(行)이 멸하면 식(識)이 멸한다.

식(識)이 멸하면 명색(名色)이 멸한다.

명색(名色)이 멸하면 육처(六處)가 멸한다.

육처(六處)가 멸하면 촉(觸)이 멸한다.

촉(觸)이 멸하면 수(受)가 멸한다.

수(受)가 멸하면 애(愛)가 멸한다.

애(愛)가 멸하면 취(取)가 멸한다.

취(取)가 멸하면 유(有)가 멸한다.

유(有)가 멸하면 생(生)이 멸한다.

생(生)이 멸하면 노사(老死)가 멸한다.

이렇게 하여 괴로움의 씨앗들(苦蘊)이 모두 멸진(滅盡, nirodha)한다.

그때 세존께서는 감흥을 읊으셨다.

"고요히 명상에 잠긴 수행자(바라문)에게
진실로 법칙이 드러났다.
그 순간 모든 의심이 사라졌으니
괴로움의 원인을 알아낸 까닭이요,
원인의 소멸을 알아낸 까닭이다."

괴로움의 원인과 원인의 소멸, 즉 유전연기와 환멸연기를 동시에 깨달음으로써 비로소 싯달타의 연기는 완성된 것이다. 이 말은 곧 무엇을 의미하는가?

A에 緣하여 B가 起한다.	順觀	생성의 인과	流轉緣起
A가 滅하면 B가 滅한다.	逆觀	소멸의 인과	還滅緣起

『마하박가』의 초전법륜 장면, 그러니까 부처의 최초의 설법의 장면에는, 부처의 말씀을 듣고 법안(法眼, dhamma-cakkhu)을 얻은 자들의 깨달음의 내용을 설명하는 말로서 다음과 같은 표현이 정형구로서 계속 등장하고 있다. 콘단냐(Koṇḍañña)장로가 깨달았을 때, 밥파(Vappa)장로와 밧디야(Bhaddiya)장로가 깨달았을 때, 마하나마(Mahānāma)장로와 앗사지(Assaji)장로가 깨달았을 때, 그리고 야사(Yasa)라는 젊은이가 법안을 얻었을 때를 『마하박가』는 다음과 같이 표현하고 있는 것이다.

"생하는 법은 어느 것이나 모두 멸하는 법이다"라고 깨달았던 것이다.

yaṁ kiñci samudaya-dhammaṁ, sabbaṁ taṁ nirodha-dhammaṁ

델리에서 안개때문에 비행
기가 안떠 부득불 자동차로
아그라(Agra)까지 가야 했다.
오줌이 마려워 쉬조있는 주
차장을 찾다가 우연히 도착
한 곳이 이 거대한 성문 앞이
었다(앞 쪽). 우연하게 목도
한 이 거대한 폐성의 웅장함
에 기가 질리고 말았다. 올드
델리의 레드 포트(랄 낄라)의
조형을 나는 여기서 발견했
다. 이것은 세번째 정복 왕조
인 뚜글라크 왕조의 개조 터
키계 기야스웃딘 뚜글라크
(Ghyasuddin Tughlaq)가 지은
것이다. 1221년 인도의 서북
쪽을 강타한 징기스칸의 공
포때문에 이런 어마어마한
성을 지었다고 한다. 델리에
서 10km 동남쪽, 13개의 성
문이 있다. 14세기초에 건립.
성안의 도시는 동네사람들
이 눗고간 마른 똥으로 가득
찬 폐허였으나 왕년의 화려
함을 전해주고 있었다. 여기
내 카메라가 잡은 돔의 굴은
요즘말로 하면 쇼핑 몰에 해
당되는 곳이다. 양 옆으로 작

"생하는 법은 곧 멸하는 법이다." 이 한마디를 깨닫는 것을 곧
법안이라고 표현하고 있는 것이다. 법안이란 곧 유전연기와 환멸
연기를 동시에 전관(全觀)할 수 있는 지혜의 눈을 말하는 것이다.
이 말은 곧 무엇을 의미하는가? 12지연기의 각 항목은 모두 법(法)
이다. 그런데 이 법은 생(生)하는 법인 동시에 멸(滅)하는 법이다.
A가 생하는 것이기 때문에 곧 멸할 수밖에 없다는 뜻은, A는 자기
동일성을 영원히 유지하는 존재가 아니라 끊임없는 생과 멸의 연
기선상에서만 있을 수 있는 가합(假合)적 존재라는 뜻이다. 붓다
가 A라는 법(法)을 유전과 환멸의 양측면에서 동시에 관찰해야 한
다고 설한 뜻은 어떠한 경우에도 A는 자기동일성을 항구하게 지

속시킬 수 없는 존재라는 것을 인식해야 한다는 뜻을 내포하는 것
이다. A라는 법에 자기동일성이 확보될 수 없다는 것은, A라는 법
에는 아(我) 즉 아트만이 없다는 말이 된다. 이것을 우리는 "무아"
라고 부르는 것이다. 12지연기의 한 항목의 법(法)이 무아(無我)
라고 한다면, 12지연기의 열두 항목 모두가 무아(無我)일 수밖에
없다. 이것을 우리가 제법무아(諸法無我)라고 부르는 것이다. 제
행무상이니 제법무아니 하는 모든 말들이 바로 이 연기의 순관과
역관의 조합에서 생겨날 수밖에 없는 말들이다. 따라서 붓다는 연
기를 알면 법을 보고, 법을 보면 나를 안다고 말했던 것이다. 삼법
인이 모두 연기에서 도출된 것이다.

은 가게들이 자리잡고 있었
다. 기야스웃딘은 당대의 이
슬람 성자 니잠웃딘(Nizam-
ud-din)의 저주를 받았고, 그
의 아들에게 암살되었다. 그
의 아들 무하마드 뚜글라크
는 천하의 폭군인데 데칸고
원까지 영토를 확장했다. 우
리는 그를 "또라이"라고 별
명지었다. 붓다는 말한다:
"지어진 것은 반드시 스러지
게 마련이다." 나는 말한다:
"폐허는 아름답다."

사성제와 팔정도

붓다는 처음에 이 십이지연기를 무식한 일반대중에게 설하는 데 무서운 당혹감을 느꼈다. 자신의 내면적 사유과정을 타인이 깊게 이해할 리가 없었다. 그래서 고민 끝에 고안해 낸 것이 고(苦)·집 (集)·멸(滅)·도(道)의 사성제(四聖諦)라는 것이다. 그러니까 이 사성제는 연기설을 일반대중이 알아듣기 쉽게 변모시킨 것이다. 사성제 중에서 고성제와 집성제는 유전연기를 말한 것이다. 그리 고 멸성제와 도성제는 환멸연기를 말한 것이다. 집(集)이 인(因)이 라면 고(苦)는 과(果)다. 도(道)가 인(因)이라면 멸(滅)은 과(果)다.

유전연기(流轉緣起)	고제(苦諦)	과(果)
	집제(集諦)	인(因)
환멸연기(還滅緣起)	멸제(滅諦)	과(果)
	도제(道諦)	인(因)

연기설이 사뭇 이론적이라고 한다면, 사제설은 퍽 실천적이다. 연기설은 싯달타 자신의 깨달음을 위한 법문이요, 사제설은 타인의 깨달음을 유도하기 위한 연기설의 법문이다. 따라서 붓다는 초전법륜에서 최초의 제자가 된 다섯 비구들에게 연기설을 말하지 않고 사제설을 말했던 것이다. 이러한 실천적 이유때문에 사제설의 중점은 어디까지나 고·집 보다는 멸·도에 놓여 있다. 유전연기 보다는 환멸연기를 보다 상세히 설한 것이다. 환멸연기 중에서도 멸(滅) 보다는 멸을 이룩하는 방법론인 도(道)를 상세히 말한 것이다. 여기서 도라는 것은 방법 즉 길(道跡, method)의 의미다. 아함경에서 보통 고멸도적성제(苦滅道跡聖諦: 괴로움의 멸함에 이르는 길의 진리)라 표현한 이 마지막 도제(道諦)를 우리가 보통 팔정도(八正道: 여덟 가지 바른 길)라고 하는 것인데, 이 팔정도야말로 원시불교의 실천강령이라고 할 것이다. 정견(正見, sammā-diṭṭhi), 정사유(正思惟, sammā-saṅkappa), 정어(正語, sammā-vācā), 정업(正業, sammā-kammanta), 정명(正命, sammā-ājīva), 정정진(正精進, sammā-vāyāma), 정념(正念, sammā-sati), 정정(正定, sammā-samādhi)이 그것이다. 후기 대승불교의 공사상의 치우친 해석으로 인하여 불교를 초윤리적(trans-ethical)인 종교로 간주하기 쉬우나, 싯달타가 구상한 근본불교는 어디까지나 윤리적 관심에서 시작하여 윤리적 실천으로 끝나는 종교라 해야 할 것이다.

바른 소견(正見), 바른 생각(正思惟), 바른 말(正語), 바른 업(正業), 바른 생활(正命), 바른 노력(正精進), 바른 기억(正念), 바른 집중(正定)은 얼핏 듣기에 시시콜콜한 시어머니 잔소리처럼 들릴 수도 있겠지만, 이것은 불교도이기 전에, 시공에 국한됨이 없는 모든 인간들, 그 모든 인간들이 사회생활을 유지하는 한에 있어서는 반드시 지켜야할 삶의 바른 자세 전체를 포괄하는 것이다. 즉 우리의 인격자세의 핵심을 말한 것이다.

팔정도 중에서 정어(正語) · 정업(正業) · 정명(正命)의 3도는 계(戒, sīla)에 속하는 것이다. 정념(正念) · 정정(正定)의 2도는 정(定, samādhi)에 속하는 것이다. 그리고 정견(正見) · 정사유(正思惟)의 2도는 혜(慧, paññā)에 속하는 것이다. 그리고 정정진(正精進)은 계(戒) · 정(定) · 혜(慧) 삼자에 공통된 미덕이다. 이 지상에서 부처님이 남긴 마지막 말씀, 『대반열반경』에 수록된, 이 지상에서 제자들에게 남긴 그 간곡한 마지막 유훈은 무엇이었던가?

"그럼 비구들이여! 이제 마지막으로 너희들에게 고하노라! 만들어진 것은 모두 변해가는 법이니라. 게으름 피우지 말라. 나는 오직 게으르지 않음으로써만 홀로 바른 깨달음에 이를 수 있었던 것이다. 방일치 말고 정진(精進)하여라."

이것이 여래의 최후의 말이었다.[41]

이 계(戒) · 정(定) · 혜(慧)를 삼학(三學)이라 하는 것으로서 소승 · 대승을 불문하고 모든 불교에 공통된 수행방법의 요체를 이루는 것이다. 삼학(三學)을 떠나서 불교는 존재하지 않는다. 그것은

우리나라의 대선사요 대사상가인 보조 지눌(普照 知訥, 1158~
1210)이 교종과 선종의 대립을 극복하고 바른 불교의 원형을 삼학
으로 정립한 주장 속에도 함축적으로 드러나 있다.

우리나라 불보사찰의
원종제일대가람(源宗
第一大伽藍)인 통도사
(通度寺). 자장(慈藏)
율사의 영정을 모신 개
산조당(開山祖堂) 앞
에 고졸한 돌 받침이
하나 서 있다. 이 팔각
형의 돌받침에는 팔정
도의 문자가 아름답게
새겨져 있다. 지나는
모든 사람들이 한번이
나마 정도의 삶을 생각
해 주었으면...

우리 삶 속의 삼학(三學)

계(戒, sīla)란 무엇인가? 계는 계율을 말하는 것이다. 계율이란 무엇인가? 계율이란 번쇄한 타부가 아니요, 우리 몸의 디시플린(discipline)을 말하는 것이다. 인간은 계가 없이는 건강할 수가 없다. 부처님처럼 정진할 수 있는 힘을 얻을 수가 없는 것이다. 계율을 지키지 않는 자는 모두 불건강과 타락으로 떨어지고 마는 것이다.

정(定, samādhi)이라 하면 우리는 선정이나, 좌선, 혹은 요가수행이나, 갖가지 명상법 등을 생각하기 쉽다. 물론 이러한 말들이 정과 결코 관계가 없다고 말할 수 없지만, 이 모든 것은 정의 방편이지 정 그 자체가 아니다. 선(禪)이란 본시 댜나(dhyāna, 禪那)의 음사로 생겨난 말인데, 그것은 정려(靜慮)라고 의역되는 것이다.

즉 고요히 마음을 가라앉히고 생각하는 것이다. 선이란 앉아서도 할 수 있는 것이요(坐禪), 누워서도 할 수 있는 것이요(臥禪), 걸어가면서도 할 수 있는 것이요(行禪), 생활하면서도 할 수 있는 것이다(處處禪). 그렇다면 정이란 무엇인가? 그 말의 음사가 삼매(三昧)인데, "독서삼매" 하는 우리말의 뜻이 전하여 주듯이 그것은 "어텐션"(attention)이라 번역하는 것이 제일 타당하다. 그것은 주목이요 집중이요 통일이다. 그것은 단지 육체와 분리된 정신의 통일만을 말하는 것이 아니요, 온몸으로 집중하는 것을 말한다. 많은 수행자들이 정을 육체와 분리된 정신의 통일로 생각하는데 이것은 심각하게 잘못된 이해방식이다. "독서삼매"란 독서하는 그 행위에 열중하는 것이다. 하고자 하는 일에 집중할 수 있는 능력, 이것은 모든 인간에게 있어서 가장 바람직한 능력이다. 집중능력이 없으면 모든 일의 능률이 떨어진다. 매사에 철저히 집중할 수 있는 능력을 지닌 자는 실제로 좌선을 따로 할 필요가 없는 것이다. 선정이란 곧 생활 속의 집중능력을 말하는 것이다. 신유학에서 경(敬)이라 말하는 것이 이것이다. 주일무적(主一無適: 하나에 집중하여 산란함이 없다)하여 매사에 진지한 상태를 유지하는 것, 그것을 우리가 경(敬)이라 부르는 것이다. 헛되이 겸손한 체하고 공손한 체 하는 것을 경이라 부르는 것이 아니다. 한 인간의 생활에서 이 경이나 정이 없으면 그 인간은 저질적인 삶을 살게 될 것은 너무도 뻔하다.

수능시험장에 가는 한 천재소년의 이야기를 실례로 들어보자!

뚜글라크왕조의 이 폐성을 보통 뚜글라카바드 (Tughlaqabad)라고 부른다. 기야스웃딘의 아들 무하마드 뚜글라크는 이 성이 지어진 지 얼마 안 되어 데칸의 다울라타바드(Daulatabad)로 수도를 옮겼다. 이때 그는 델리의 모든 신민을 데리고 1,100km의 행군을 강행했다. 신민들은 파리떼처럼 죽어갔다.

그는 학급에서도 줄곧 일등만 해왔고, 모의고사 성적도 전국 일위는 항상 따놓은 당상이었다. 그는 막강한 영수실력의 소유자이며, 누구든지 그는 서울대학교를 수석으로 입학할 것이라고 장담했다. 그런데 그는 전날 잠을 제대로 자질 못했다. 태연할 수가 없었고 줄곧 긴장했다. 아침에 일어나니 머리가 뿌옇게 느껴졌다. 시험장에 들어가니 당황해서 아무 것도 머리에 떠오르지 않았다. 그래서 시험을 망치고 말았다. 그가 평소 아무리 대단한 지식의 소유자이며 지혜의 소유자라 할지라도, 필요한 당장에서 냉정하게 집중할 능력이 없다면 그 지혜와 지식은 소용이 없는 것이다. 모의고사 전국1등자라 할지라도, 막상 수능시험장에서 답안지에 번호 매기

는 것을 한 칸씩 내려 칠하는 실수를 범해도 12년 형설지공이 하루 아침에 나무아미 도로타불이 되어버리고 마는 것이다. 선정, 즉 삼매란 이러한 인간의 냉철한 정신력을 말하는 것이다. 그러나 이 정만으로는 아무 소용이 없다. 아무리 집중력이 뛰어나도, 지혜가 없고 지식이 없으면 그것은 아무 쓸모가 없는 것이다. 그래서 등장하는 삼학의 최후 항목이 바로 혜(慧)라는 것이다.

혜(慧, paññā)란 무엇인가? 혜는 반야(般若)라고 하는 것이다. 반야란 무엇인가? 그것은 앎이다. 이 세계와 이 우주, 그리고 인간의 모든 것에 관한 바른 통찰이다. 이미 지식과 지혜가 이분될 수 없다고 하는 것은 내 이미 설진(說盡)하였다. 나는 참으로 아는 자치고 지혜롭지 못한 자를 보지 못했다. 알면서 지혜롭지 못한 자

당대의 현장기록을 남긴, 이슬람 문명권의 마르코 폴로라 할 수 있는 이븐 바투타(Ibn Baṭṭūṭah)는 말한다: "델리에는 개나 고양이 한마리 조차 남아있지 않았다." 인민의 아우성조차 스러진 폐허는 아름답다. 공(空) 또한 실상(實相)이기 때문이다.

뚜글라카바드의 주인, 기야스웃딘의 묘로 가는 길. 이 서기어린 길은 뚜글라카바드와 직접 통한다. 그 밑은 거대한 호수였다고 한다. 이 묘는 그 또라이 아들 무하마드 뚜글라크가 지었는데, 향후 이슬람 묘의 조형을 여기서 찾아볼 수 있다.

는 참으로 아는 것이 아니다. 앎을 통하지 않는 지혜라는 것은 있을 수가 없는 것이다. 체험도 앎이다. 머리로만 아는 것이 앎이 아니요, 혀로 아는 것도 앎이요, 귀로 아는 것도 앎이요, 코로 아는 것도 앎이요, 피부의 느낌으로 아는 것도 앎이요, 눈으로 직접 보는 것도 앎이다. 그런데 어찌 앎을 통하지 않고서 지혜롭다함이 있을 수 있는가? 그렇다면 무엇을 아는 것인가? 바로 연기의 실상을 아는 것이다. 싯달타가 말하는 반야란 바로 연기의 실상을 아는 지혜를 말한 것이다.

학교에 가서 수학을 배우고, 화학을 배우고, 물리를 배우고, 생물을 배우고, 철학을 배우고, 예술을 배우고, 역사를 배우는······ 이 모든 것이 연기를 알아 지혜를 얻고자 함이다. 이런 것들에서 생활의 예지를 얻지 못한다면 어찌 이것이 학문으로서 가치를 지닐 수 있겠는가? 학승과 선승이 따로 있는 이 개탄스러운 우리나라 승가의 풍토에서는 참으로 이해할 수 없는 것일지 모르겠지만, 우리가 지식이라 하는 것은 모두 사이언스요, 사이언스란 그노시스요, 지혜인 것이다. 사이언스는 결국 우리가 살고 있는 모든 세계의 인과를 일깨워주는 것이다.

결국 이 계·정·혜라는 삼학은 저 시타림에서 나이란쟈나강을 건너 저 핍팔라나무 밑에 이르기까지의 인간 싯달타의 삶의 과정을 요약해놓은 언사인 것이다. 싯달타가 고행을 했다는 것도 일종

나는 후대 무굴제국의 화려한 묘들보다 이 기야스웃딘의 묘의 단아한 아름다움에 매료되었다. 내가 카메라를 들고 있는 발 밑에는 죄수들을 죽음으로 빠뜨리는 구멍이 있었다. 인간의 심미적 감성과 잔혹한 야성을 동시에 느끼게 해주는 곳이었다. 건물의 돔이 소박한 반구(半球) 형태인데 이것이 후대에 가면서 전기다마 처럼 생긴 전구(全球) 형태로 바뀌어 간다.

반구(半球), 14세기 초

전구(全球), 17세기 중엽
이슬람사원·묘
양식의 변천

의 계요, 그가 고행을 중단하고 수자타에게 유미죽을 얻어먹고 32호상을 회복했다고 하는 것도 계다. 진정한 선정이란 건강한 신체(정신을 포괄)를 전제하지 않으면 이루어지지 않는다. 도무지 몸이 불건강한 상태에서는 집중력이 생길 수가 없는 것이다. 만약 싯달타가 유미죽을 먹으면서 정갈한 생활을 하지 않았다면 그는 32상을 회복할 길이 없었을 것이다. 좌도밀교의 수행을 한답시고 우루벨라 마을에 쑤셔 박혀 수자타와 쎅스나 하고 지냈다면 보리수 밑의 싯달타는 있을 수가 없었을 것이다. 계는 정을 위하여 필요불가결한 것이다. 이러한 계를 지킨 싯달타는 핍팔라나무 밑에서 정에 들어가기 시작한다. 그래서 마라의 유혹 정도는 간단히 물리친다. 그리고 12지연기의 지혜를 얻고 아뇩다라삼먁삼보리를 증득하였던 것이다. 이러한 싯달타의 "계→정→혜"의 과정은 곧 삼장(三藏)의 패러다임이 되었다. 싯달타의 계를 담은 것이 율장이요, 싯달타의 정을 담아 놓은 것이 경장이요, 싯달타의 혜를 담아 놓은 것이 논장이라 말할 수도 있는 것이다.

그러나 이 계·정·혜는 반드시 일자가 일방적으로 타자를 위해서만 있는 것이 아니요, 시간선상의 전·후 분별이 있는 것도 아니다. 그것은 상즉상입하는 것이요, 호상투철하는 것이다. 계는 정과 혜를 위한 것이다. 우리가 우리 몸의 디시플린을 지킨다는 것은 집중력과 지혜(지식)를 높이기 위한 것이다. 즉 계 속에는 정과

혜가 들어와 있는 것이다. 정은 계와 혜를 위한 것이다. 우리는 선
정을 잘함으로써 계율을 더 잘 지킬 수 있게 되고 더욱 더 큰 지혜
를 얻을 수 있게 되는 것이다. 즉 정 속에는 계와 혜가 들어와 있는
것이다. 혜는 계와 정을 위한 것이다. 우리는 더 많이 알고 지혜로
와짐으로써 계율을 더 잘 지킬 수 있게 되고 선정의 집중을 더 잘
할 수 있게 되는 것이다. 즉 혜 속에는 계와 정이 들어와 있는 것이
다. 계율도 그 계율을 왜 지켜야 하는지를 모르고 지키면 그것은
괴로운 타율적 인생일 수밖에 없다. 계율을 지켜야 하는 소이연을
알면 알수록 계율을 더 바르게 지킬 수 있게 되는 것이다. 그리고
지식과 지혜의 폭이 깊어지고 넓어질수록 선정의 집중력은 도수
(강도)가 높아지는 것이다. 그래서 고승의 도력이 생기는 것이다.

이렇게 계 속에 정·혜가 있고, 정 속에 계·혜가 있고, 혜 속에
계·정이 있는 이러한 상즉상입의 일체감을 우리가 "인격"이라고
부르는 것이다. 이러한 인격의 완성은 불교 교리라고 하는 좁은
울타리를 떠나 모든 인간이 행복하고 자족한 삶을 살기 위해서는
반드시 필요한 배움의 과정이다. 그래서 계·정·혜를 삼학이라고
한 것이다. 즉 인격의 완성을 위한 분리될 수 없는 영원한 세 가지
배움이라는 뜻이다. 원시불교나 대승불교를 막론하고 이 삼학의
정신은 불교의 핵심이다. 지눌이 성적등지(惺寂等持)를 말하고 정
혜쌍수(定慧雙修)를 말하는 것이 모두 이 삼학의 상즉상입의 정신
에서 나온 것이다. 그의 돈오점수(頓悟漸修)론도 결국 이 삼학의
일체감을 전제로 해서 말하고 있는 것이다. [42]

단언컨대 싯달타는 불교라는 종교를 개창하기 위하여 산 사람이 아니다. 그의 승가는 그의 가르침을 따르는 사람들이 자연스럽게 뭉쳐서 이루어진 것이다. 그가 이 계·정·혜의 프레임웤을 가지고 현실적으로 승가를 지도하였다는 그 사실이 그를 오늘의 위대한 스승으로 만들었을 것이다. 삼학은 승가의 디프 스트럭쳐였다. 그것은 인류사의 획기적인 창안이었다. 그것은 바로 싯달타라는 한 역사적 인간의 실천적 삶의 모습이었다. 그 삼학이라는 실천적 삶의 모습의 족적이 오늘의 불교라고 하는 이 거대한 인류사의 물결을 일으킨 것이다.

아잔타 제6석굴의 벽화. 위대한 스승 세존 앞에서 무릎을 꿇고 헌화하는 비크슈. 오른손에는 향로를 들고 왼손에는 세개의 연꽃을 들고 있다. 이것은 불·법·승의 삼보를 상징한다. 이런 마음들이 합쳐져서 초기 불교의 승가는 형성되어 갔다.

싯달타가 살았던 시대

싯달타가 살았던 시대는 격변과 격동의 시기였다. 간지스강 중류 지역의, 혈연유대관계를 중심으로 지극히 사적이고 토착적인 에토스를 유지해오던 소규모의 종족사회(=씨족공동체)가 아리안계 종족들의 침공을 받으면서 점점 붕괴되어 갔다. 씨족공동체는 노예제를 전제로 하지 않은 목가적인 평등사회였으나 본시 유목민족이었던 아리안계 종족들은 노예제를 기반으로 한 새로운 영토국가를 건설하였다. 물론 이러한 사회적 변화가 아리안계와 비아리안계의 이원적 대립으로 다 설명될 수 있는 것은 아니지만, 하여튼 **종족사회**와 **국가**가 대립적 개념으로 설정될 수밖에 없는 그러한 시대상황 속에서 싯달타는 태어났던 것이다. 붓다의 시대에는 이미 간지스강 중류지역의 크고 작은 많은 도시들을 중심으로 국가가 성립하여 있었다. 이 국가들을 인도역사학에서는 도시국가

싯달타의 시대는 종족사회와 국가가 대립하고 있었다. 이 종족사회의 이념을 살려 공화제 국가를 성립시킨 최초의 종족이 릿챠비종족(Licchavi)이며, 그 수도가 바이샬리(Vaisāli or Vesāli)이다. 바이샬리는 붓다시대에 가장 화려했고 부유했던 미도였으며 교통·문화·경제의 중심지였다. 6세기 공화정을 성립시켰으며 마가다·굽타제국시대에까지 천여년간 그 아이덴티티를 지속시켰다. 고대 로마와 상통한다. 싯달타가 속한 샤캬족도 릿챠비족의 지

(Polis=City State)라 부른다. 싯달타의 불교가 출현할 수 있었던 시대배경으로 우리는 이러한 도시국가의 출현, 그리고 도시를 중심으로 한 상공업의 발달, 화폐의 유통, 그리고 종족적 유대관계를 상실한 구속을 싫어하는 도시상공인들의 개인주의와 자유주의, 그리고 향락주의, 그에 따른 도덕적 해이, 그리고 전통적 바라문교의 약화, 그리고 바라문계급의 절대적 권위의 상대적 하락, 등등의 사회적·정치적 혼란과 변혁의 정황들을 상정하지 않으면 안되는 것이다. 종족사회의 폐허 위에 도시국가들이 건설되었고, 이도시국가들은 공화제·군주제 등 다양한 과도기적 정치체제를 유지하였으나, 점점 강력한 전제군주국가로 통합되어 가는 추세에 있었다. 싯달타가 속해 있었던 샤캬종족의 카필라바스투는 종족

사회의 한 원형으로 간주되는 것이다. 그 카필라성이 코살라국에 의하여 멸망되고, 코살라국이 다시 대국 마가다에 의하여 정복되는 과정의 일부를 우리는 이미 싯달타의 삶의 여로에서 접하게 되는 것이다.

싯달타가 처한 이러한 시대배경은 절묘하게도 서양의 장원제 봉건국가들이 멸망하고 절대왕정이 출현하는 그러한 시대배경과 그 구체적 정황이나 실내용은 매우 다른 것이지만 공통된 디프 스트럭쳐를 가지고 있다고도 말할 수 있을지도 모른다. 싯달타가 카스트적인 계급을 부인하고 인간의 평등과 진정한 자유, 그리고 보편적 자비의 사상을 부르짖게 되는 역사적 정황에는 근대 부르죠아 시민계급의 에토스 형성과 유사한 어떤 디프 스트럭쳐가 숨어 있다고도 말할 수 있는 것이다.

배영역에 속해 있었다. 인도 최초의, 그리고 최후의 공화국이었다. 지금도 인도 공화국 중앙정부의 국회가 개원할 때는 이곳 카라우나 포카르(Kharauna Pokhar) 연못의 물을 성수로 사용하여 의식을 집행하고 있다(앞 페이지). 붓다는 바이샬리를 무척 사랑했다. 바이샬리라는 도시문화의 개방성을 사랑했다. 500명의 여성 수행자들의 출가를 허락한 곳도 이곳이요, 그가 열반을 향해 쿠시나가르로 떠나기전 최후의 하안거를 보낸 곳도 이곳이었다. "여래가 이 아름다운 베살리 마을을 보는 것도 이것이 마지막이 될 것이다"라고 슬픈 여운을 남겼다. 그의 사후 제2차결집이 이루어진 곳도 이곳이요, 대승불교운동의 단서가 마련된 곳도 이곳이었다. 역사적 싯달타는 독재적 군주제보다는 민주적 공화제를 선호한 인물이었음에 틀림이 없다. 내가 바이샬리 한 마을을 찾아갔을 때 동네장로들이 짜이를 마시며 담론하고 있는 모습은 고대 공화제의 실상을 연상시켰나. 불일 내놓고 앉어있는 아동 곁에 깔려있는 동네 마당의 멍석들은 우리나라의 평화로운 옛 부촌의 정취를 상기시켰다.

사문과 소피스트

이러한 시대적 배경에 힘입어 당시에는 자유로운 사상가들이 난립하였다. 팔리장경 장부니까야(Dīgha-Nikāya)에 속하는 『사문과경』(沙門果經, Sāmaññaphala-sutta)에는 소위 6사외도(六師外道)라고 불리우는 당시의 자유로운 사상가들의 모습이 그려져 있어 귀중한 자료를 제공하고 있다. 그렇지만 이것은 어디까지나 불교의 입장에서 정리한 것이기 때문에 그들 자체의 사상을 아는 데 충분한 자료라 할 수는 없다. 여기 사문(沙門, śrāmaṇa, samaṇa)이라 하는 것은 종래의 전통적 바라문과 대립되는 개념으로서, 일정한 장소에 구애받지 않고 촌락이나 도시를 전전하면서, 걸식에 의해 생계를 유지하고, 수행과 포교에 전념하는 새로운 형태의 종교지도자, 출가자들을 지칭하는 말이었다. 이들은 대개 박식한 인물들이었으며 자유로운 사유의 소유자들이었으며, 강력한 시대의식과 비판의식을 소유한 사람들이었다. 그리고 이들은 한결같이 베다의 권위나 제사를 거부했다. 이들은 이단자들이었음에도 불구하고 당시 새롭게 형성된 자유로운 상공계급의 사람들의 존경을 받았다. 그리고 그들의 주변에는 자연히 그들의 교설을 따르고 실천하는 무리들에 의해 자연스럽게 승가(僧伽, saṃgha)라는 생활공동체가 형성되었다. 이들 공동체들은 사회적 계급적 신분의 차별이 없이 누구나 다 참여할 수 있는 개방적 성격을 띤 집단이었다. 이러한 승가의 유지를 위하여 사문들은 보다 참신하고 설득력 있는 이론들을 창출해내야만 했다.

우리는 "인간은 만물의 척도다"(Man is the measure of all things.)라고 외쳤던 아테네의 소피스트(sophist), 프로타고라스(Protagoras, 485~410 BC)를 기억한다. 기원전 6세기말에서 기원전 5세기까지는 희랍의 도시국가들, 폴리스의 격동기였다. 페르샤전쟁의 승리는 아테네의 정치·경제·사회·문화의 각 방면에 커다란 변화를 가져왔다. 마라톤의 승리는 주로 농민보병에 의한 것이었으며, 사라미스의 해전은 수공업노동자들에 의한 승리였다. 이들은 마침내 귀족의 특권을 빼앗아 민주제(democratia)를 확립하였고, 민중의 위대한 지도자 페리클레스(Pericles, 495~429 BC)의 출현은 고대 민주주의의 황금시대를 가져왔다. 전쟁 후 델로스동맹의 맹주로서 그레시아의 패권을 집은 아테네는 찬란한 문화의 꽃을 피우기 시작했다.

달라이라마와 도올의 만남(1)

인도여행에서 나의 가슴에 감동을 새겨 놓은 것은 학교의 모습이었다. 대부분의 수업이 야외 마당에서 이루어진다. 학생들을 수용할 건물이 부족하기도 하겠지만 실내가 너무 답답한 것이다. 그리고 외부인들에 대한 거부반응이 전혀 없었다. 이들 중에서 사문이나 소피스트가 배출될 것일까? 시인 타고르의 고뇌를 나는 생각해 보았다. 바이샬리에서.

이 때에 등장한 것이 소피스트다. 우리가 보통 소피스트를 궤변론자라고 부르지만, 그러한 인상은 대체로 이들이 기존의 가치관을 거부하고 인간의 세계인식의 극단적 상대성을 조장하고, 인간의 감각이나 이성적 논리가 모두 궁극적으로 실재의 기준이 될 수 없다고 생각하며, 모든 종교적 독단에 대하여 매우 회의적인 판단유보를 가지고 있다고 하는 그러한 성향 때문에 생겨나는 것이다. 그렇지만 소피스트들은 모두가 박학다식한 사람들이었으며 대부분이 심오한 경지의 석학들이었다. 그들은 무엇에나 의문을 품었으며 종교나 정치상의 모든 핫잇슈들을 거침없이 이성의 심판대 위에 올려놓았던 것이다. 그리고 이들은 폴리스의 유지기반이었던 노예제도를 거부했다.

우리는 보통 소피스트들과 소크라테스를 구분해서 말하지만, 소크라테스 역시 소피스트 중의 한 사람이었다는 사실은 누구나 쉽게 수긍할 수 있는 사실이다. 여기 붓다시대의 슈라마나 즉 사문(沙門) 또한 소피스트가 등장하는 헬라스의 시대배경, 사회분위기, 그리고 사상적 성향과 일치하는 맥락 속에서 규정되는 사람들이다. 사문들도 대체적으로 현실주의적 인간관, 유물론적 우주관, 상대주의적 가치관을 지니고 있었으며, 모든 도덕주의적 명제에 대해 회의적이었다. 그리고 우파니샤드에서 말하는 아트만이나 브라흐만의 개념을 인정하지 않았다. 이러한 것들을 대체적으로 물질의 집적(ārambha-vāda)으로써 설명했으며, 업이나 윤회 같은 것마저도 부정했다. 챠르바카(Cārvāka)는 인간의 추론의 확실성을 인정치 않으며, 귀납적 추리와 인과법칙의 타당성을 거부했다. 그리고 신의 존재, 영혼의 존재, 생전이나 사후의 존재를 부정했다. 따라서 업의 도덕성이 전적으로 부정되는 것이다. 이따위 것들은 모두 브라흐만 사제계급들이 무지한 대중들을 속여 자기들의 이익을 챙기고자 하는 의도에서 만들어낸 이론들에 불과하다고 비판한다. 그리고 인간의 존재이유는 쾌락(kāma)의 추구에 있을 뿐이라고 역설한다. 이러한 챠르바카의 이론은 비판이나 옹호의 대상이기에 앞서, 오늘날 현대를 사는 인간이 제기할 수 있는 모든 극단적·합리적 사유를 이미 제기하고 있다는 점에서 극히 소중한 것이다. 다시 말해서 향후의 모든 철학은 이러한 도전에 대하여 대답하지 않을 수 없는 문제상황을 껴안게 되는 것이다.

기실 소크라테스가 소피스트의 한 사람이었듯이, 역사적인 붓다 또한 이러한 슈라마나(사문) 중의 한 사람이었다. 헬라스의 폴리스의 소피스트들이나, 간지스강 중류지역 도시국가들의 슈라마나들이나, 춘추전국시대의 제후국을 방황하는 유세객들인 사(士)나 기실 야스퍼스가 지적한 바 아흐센차이트(Achsenzeit, 인류의 주축문명시대)의 동일한 시대정신에서 배출된 사상가들이었다.

싯달타는 결코 이러한 래디칼리즘에 만족할 수가 없었다. 모든 래디칼리즘은 인간의 문제에 대하여 자극적인 도전을 제기할 수는 있으나, 근원적인 문제해결에 대한 총체적인 그림을 그리지 않는다. 당시 파쿠다 카차야나(Pakudha Kaccāyana)라는 육사외도의 한 사문은 다음과 같은 문제를 제기했다. 인간은 지(地)·수(水)·화(火)·풍(風)·고(苦)·락(樂)·생명(生命)의 일곱 요소의 집적태일 뿐이며 행위의 주체가 되는 존재는 없다고 주장했다. 그리고 이들 요소 그 자체는 불변이며 창조되지도 않았고, 서로를 생성하지도 않는다. 이러한 집적태인 한 인간을 어떤 사람이 예리한 칼로 배때기를 콱 쑤셨다고 하자! 그래도 그것은 전혀 윤리적 문제를 제기하지 않는다는 것이다. 그 칼은 단지 일곱 요소 사이의 간격을 좀 벌려놓았을 뿐이라는 것이다. 칼을 쑤신 주체도 존재하지 않고 칼 쑤심을 당한 주체도 존재하지 않는다. 행위와 사건을 철저히 비인격적인 과정으로 설명하는 유물론적 세계관인 것이다. 자아! 여기에 대하여 독자들은 어떠한 답변을 내릴 것인가?

나는 일찍이 말했다. 싯달타의 사유의 알파와 오메가는 연기 그 하나라고. 연기란 인과성의 철저한 긍정이다.

개방적인 바이샬리의 여인, 순다르헤.
저녁반찬으로 바나나를
딴다고 했다. 그리고
우리일행을 자기집으로 초대했다.
위 사진은 우리나라에서는
보기 힘든 바나나의 꽃

진단과 치료

나 도올은 매일 클리닉에서 환자를 보고 있는 현직 의사다. 환자란 몸에서 고통을 느끼는 사람들이다. 고통이 없는 사람이 어디 있겠냐마는, 특히 신체의 어떤 부위에서 강한 고통을 느끼고 있는 사람들이 나를 찾아오고 있다. 그들에게는 고통의 구체적 현실이 있는 것이다. 그런데 그들이 의사인 나 도올을 찾아오는 목적은 그 고통을 제거하기 위한 것이다. 나를 찾아온 환자들에게 내가 제일 먼저 하는 작업은 그 고통을 그들로 하여금 기술케 하는 것이다. 그리고 그 기술에 따라 나 의사인 도올은 진단이라는 작업에 들어간다. 그런데 환자들은 대뜸, 정확한 증상을 말하지 않고 병명을 말하거나, 또 나에게 병명을 알으켜 달라고 요구한다. 그러나 기실 병명이란 아무런 의미가 없는 것이다. 병명은 X래도 좋고 Y래도 좋은 것이다. 문제는 먼저 정확한 고통의 상태가 기술되어야 하고, 그 고통이 과연 어떠한 인과관계에 의하여 발생한 것인가를 추적해야 한다. 물론 그 추적의 목적은 그 고통에 대한 원인을 앎으로써 그 고통을 제거할 수 있다는 희망 때문인 것이다. 다시 말해서 인간의 고통 그 자체는 무상한 것이다(諸行無常). 환자의 고통이 무엇에 연(緣)하여 기(起)한 것인가? 그 연기를 아는 것이 우리 의사의 의무요 임무다. 그 고통의 인과관계를 추적해 들어가는 작업을 진단이라고 하는데, 이 진단은 순관이요 유전연기다. 그리고 그 인과관계에 따라 원인을 제거하는 작업을 치료라 하는데 그 치료는 역관이요 환멸연기다. A로 인하여 B가 있다. 그러므로 A가 멸하면 B가 멸한다. 전자는 유전연기요 진단이다. 후자는 환멸연기요 치료다.

진 단	유 전 연 기	순 관
치 료	환 멸 연 기	역 관

자아! 이렇게 간단한 도식으로만 떨어지면 문제는 간단하다. 나는 하루 아침에 명의가 될 것이요, 금방 의사로서 성세를 떨칠 것이다. 그리고 많은 의사들이 이러한 단순한 신념 속의 오만에 사로잡혀 있다. 그러나 문제는 그렇게 간단치 않다.

피카소의 게르니카를 연상시
키는 이 카주라호의 조각은
가장 출현빈도수가 높은 모티
프에 속한다. 보통 샤르둘
(shardul)이라고 부르는 이 짐
승은 사자와 말의 혼합형태이
다. 이 샤르둘상은 보통 카주
라호사원들을 창조해낸 찬델
라 왕조(Chandella Dynasty)의
건국신화와 관련된 것으로 풀
이 되고 있다. 헤마바티
(Hemavati)라는 16세의 꽃다
운 브라흐만 가문의 과부가 어
느날 용담에서 목욕을 하는데
그 황홀한 미모에 반한 달의
신, 찬드라(Chandra)가 하강하
여 그녀를 범한다. 정조를 빼
앗긴 과부가 달의 신을 저주하
자, 달의 신은 그녀가 아들을
낳을 것이며 무적의 크샤트
리야가 되어 세계를 정복할
것이라고 예언한다. 예언대
로 태어난 그 아이는 16세때
이미 맨손으로 호랑이를 때
려잡고 지팡이 하나로 사자
를 제압했다 운운. 찬델라 왕
조를 세운 이 소년 찬드라바
르만(Chandrarvarman)의 무용
을 찬양하는 상이라는 것이다.
그러나 내 눈에는 그러한 투쟁
적인 무용담의 상으로 풀이되
기는 어려웠다. 해석의 여하와
관계없이 그 역동적 힘의 표출
이 걸작이다.

우선 환자의 고통 그 자체의 기술이 명료하게 이루어질 수 없을 때가 많다. 환자 자신이 그냥 지끈지끈 아프다든가, 아리아리 하다든가, 우리우리 하다든가 하는 말로써 표현할 때는 그것이 과연 어디가 어떻게 아픈 것인지를 기술하기가 난감한 것이다. 기술이 불가능하면 추적도 불가능해진다. 엑스레이를 찍고, 씨티를 찍고, 엠알아이를 찍어도 아무런 물리적 증거를 포착할 수가 없을 때가 많다.

그리고 언제부터 어떻게 아프셨습니까? 왜 그런 증상이 생겼다고 생각하십니까? 하고 물으면, 어떤 사람들은 "하나님에게 벌받아서 그래요"라든가, "아무 잘못한 것도 없는데 어느날 갑자기 그래요"라든가, "그것은 운명이었어요"라든가 하는 식으로 황당하게 말하는 것이다. 환자 자신이 참으로 자신의 고통이 무엇으로부터 연기된 것인지를 모르는 것이다. 때로는 알기를 거부하는 것이다. 이것을 싯달타는 무명(無明)이라고 불렀다. 환자들이 자신의 긴박한 고통의 연기의 실상을 모르는 것 그것이야말로 무명인 것이다.

유전연기에 대한 치료는 환멸연기다. 그런데 유전연기를 알아도 환멸연기를 거부하는 사람들이 너무도 많다. 예를 들면, 환자들이 의원이나 병원에 오면 으레 의사가 약을 주는 것으로 안다. 약만 먹으면 자기 고통의 원인이 제거된다고 믿는 것이다. 그리고 더 중대한 사실은 의사들 자신이 환자의 증상을 알고, 병명을 알고, 병명에 대응하는 처방약을 알면 모든 문제가 해결된다고 믿는

데에 있다.

어느 날 나에게 환자가 왔다. 젊은 엄마가 고등학교 1학년 남학생을 데리고 왔다. 그리고 자기 아들의 증상을 얘기하는 것이다. 아들이 매일 피곤에 지쳐있다는 것이다. 그리고 계단 같은 곳을 몇 발자국만 짚고 올라가도 다리가 후들후들 떨려서 털썩 주저앉고 만다는 것이다. 눈밑이 검어지고 눈꺼풀이 후들후들 떨리기도 하고, 자고 일어나도 골치가 띵하다는 것이다. 그래서 한약을 멕이면 꼭 좋을 병인 것 같아서 데리고 왔다는 것이다.

이때 의사는 이 부모님 말씀만 듣고, 옳다, 비싸고 좋은 보약을 팔아먹을 좋은 기회라 생각하고, 진맥을 하고, "신허"(腎虛), "기허"(氣虛) 운운…… 인삼·녹용에 사인·사향, 해구신에 육종용, 당귀·천궁…… 마구 집어넣어서 오·케이! 하고는 명의가 되어버리는 것이다.

나는 잠깐 그 엄마를 나가 있으라 하고 고교생을 뚫어지게 쳐다보았다. 나는 갑자기 물었다.

"너 하루에 몇 번이나 플레이치냐?"

그 학생은 얼굴이 갑자기 폭 고꾸라졌다. 컴퓨타의 음란사이트에 중독이 되어 몇 년 동안 하루도 안 빼놓고 매일 플레이를 쳤다

는 것이다. 항우와 같은 천하장사라도 매일 사정하고서야 다리가
후들후들 안 떨리는 놈이 있을손가?

이 학생의 증상은 결코 십전대보탕이 아니라 할애비대보탕 백
제를 써도 해결될 수가 없는 것이다. 모든 문제는 이 학생이 자위
를 하는 행위를 단절할 수 있는가에 달려있는 것이다. 그런데 그
연기의 실상을 은폐한 채, 계속 보약만 타다 먹고, 교회에 나가 예
배를 드린들 해결될 길은 없는 것이다. 더욱 더 난감한 사실은, 비
록 이 학생이 순수한 무지로부터 그러한 쾌감의 행위를 지속시켰
고, 나의 친절한 설명을 듣는 것을 계기로 대오를 하여 그러한 나
쁜 습성을 고쳤다면 좋겠지만, 나의 간곡한 설명을 들었음에도 불
구하고, 음란사이트 중독증세에서 헤어나지를 못한다면 그 누구
도 구원의 손길을 뻗칠 수 없다는 데 있다. 나의 클리닉에 같은 시

사원 입구에 서있는
샤르둘과 소년상의 다
른 모습. 카주라호의
사원들은 AD 950~
1050년 사이에 집중적
으로 지어졌다. 85개
가 지어졌는데 무슬림
왕조들의 파괴로 현재
22개만 남아있다.

기에 비슷한 증세와 원인의 두 학생이 환자로 찾아왔다. 한 학생은 내 말을 잘 듣고 크게 깨닫고 뉘우쳐 한두 달 안에 온전한 건강을 회복했다. 그런데 한 학생은 내내 못 고치고 이 핑계 저 핑계 대더니 결국 정신병자가 되었고 학교도 졸업 못하고 말았다. 그런데 이왕 나온 김에 사실대로 고백하자면, 전자의 학생의 경우는 가정이 화목했고, 엄마가 훌륭한 인품의 여인이었다. 그런데 후자의 경우는 가정이 몹시 불화했고 엄마가 매우 부족한 인품의 여자였다. 나를 대하는 태도도 진실성이 결여되어 있었고 속으로 비양거리기만 했다. 정신병자가 되는 학생들의 경우를 보면 대부분 그 엄마가 정신병 성향의 성품을 지니고 있다. 참으로 인간의 문제는 이와 같이 복잡한 연기 속에 있는 것이다. 싯달타의 12지연기설은 일인일과(一因一果)의 시간성을 추적한 것이다. 그렇지만 그 항목들은 결국 상징적 체계일 뿐이다. 의사마다 환자의 연기를 추구하는 인식방법이 다른 것이다. 인간의 문제뿐만 아니라 물리적 현상까지도 하나의 사태에 대한 연기는 하나의 항목으로 결정되는 것이 아니라, 수없는 항목이 원인으로 작용하고 있을 때가 많다. 다인일과(多因一果), 아니 일인다과(一因多果), 아니 다인다과(多因多果)라 해야 할 것이다. 우리가 보통 일인일과라고 하는 것은 다인다과의 현실로부터 방편적으로 일인일과를 추출한 것에 불과하다. 그러므로 나중에 대승의 화엄사상에 가면 중중무진연기(重重無盡緣起)니 하는 말들이 생겨나게 되는 것이다. 그러나 이러한 식의 논의를 확대해 들어가면 모든 것이 모든 것의 원인이 되어버리므로 연기는 의미없는 것이 되고 만다.

연기를 부정하는 다섯가지 생각

  싯달타의 연기에 대한 신념은 다음과 같은 것이다. 인간의 고통은 매우 리얼한 것이다. 그리고 인간의 모든 고통은 반드시 합리적인 원인이 있다. 그러므로 인간이 그 고통에서 벗어나기 위해서는 그 고통에 대한 약물의 처방이 필요한 것이 아니라 그 고통을 산출하고 있는 원인 그 자체를 제거해야 하는 것이다. 그 궁극적 원인은 인간의 무명이다. 그것은 인간이 스스로 자신을 무지에서 해방시켜야만 하는 고독한 혁명이다. 약물의 처방은 대체적으로 의원성질병(醫原性疾病, iatrogenic disease)을 산출시킨다. 우리나라의 질병의 절반 이상이 병원이나 치료, 의사와의 만남 그 자체에서 생기는 것이다. 의사나 병원으로부터 생기는 병을 우리는 의원성 질병이라고 부르는 것이다. 싯달타 이전의 대부분의 인간의 고통이 이 의원성 질병이었던 것이다. 아트만에서 생기고, 브라흐만 신에서 생기고, 브라흐만 계급에서 생기고, 모든 훌륭한 잡신에 대한 제사로부터 생겼던 것이다. 싯달타 자신이 당대 사람들의 연기의 부정, 인과에 대한 부정적 생각들을 다음의 다섯 가지로 정리해놓고 있다.[43] 연기의 부정은 곧 업보의 부정을 의미하는 것이다.

1) 자재화작인설(自在化作因說, issara-nimmāṇa-hetu-vāda): 이것은 신의설(神意說)이라고도 할 수 있는 것이다. 이 세계와 인간의 운명이 브라흐만이나 마헤슈바라(Maheśvara, 大自在天)와 같은 최고신의 창조라고 생각하며 모든 것이 신의 의지에 의하여 좌우된다고 생각하는 것이다. 이 세계의 모든 것이 나의 의지나 노력에 따르는 것이 아니라, 신의 의지대로 작동할 뿐이다. 따라서 이런 작인설을 믿는 사람은 자기의 인격완성을 위해 스스로 정진노력할 실제적 근거가 없어진다. 선악의 행위에 대한 행위자의 책임의식도 희박해질 것이다. 우리나라의 대부분의 보수적 신앙인, 교회만 열심히 나가면 만사가 형통되고 하나님의 축복을 받는다고 믿는 대부분의 신앙인들이 암암리 범하고 있는 인과부정론이다.

2) 숙작인설(宿作因說, pubbe-kata-hetu-vāda): 우리가 이 현세에서 얻는 행·불행의 운명은 모두가 우리의 전생에서 행한 선·악업의 결과일 뿐이며, 따라서 인간의 일생의 운명은 전생의 업의 결과로서 태어날 때 이미 결정된 것이다. 따라서 이 생애에서의 모든 노력은 내세(來世)의 운명을 결정할 수는 있을지언정 현세의

운명에는 하등의 영향이 없다고 믿는 일종의 숙명론이다. 성명철학관을 열심히 찾아다니는 대부분의 우리나라 사람들이 암암리 범하고 있는 인과부정사상이다.

3) 결합인설(結合因說, saṅgati-bhāva-hetu-vāda): 우리 인생은 모두가 지(地)·수(水)·화(火)·풍(風) 등의 요소가 결합되어 이루어진 것이다. 이 결합이 잘되었냐 못되었냐에 따라 우리 인생의 고락길흉(苦樂吉凶)의 운명이 결정된다. 이 결합상태는 태어날 때 이미 확정된 것이며, 우리의 생애를 통하여 일정불변하게 지속된다. 따라서 우리의 노력에 따라 우리의 운명을 개변할 수 있는 여지가 없다. 이것은 많은 유물론자·결정론자들이 범하는 숙명론의 오류이다.

4) 계급인설(階級因說, abhijāti-hetu-vāda): 인간은 태어날 때 이미 흑(黑)·청(青)·적(赤)·황(黃)·백(白)·순백(純白)의 여섯 개의 계급으로 구별되어 있으며, 그 계급에 따라 인간의 성격·지혜·처지·가문 등이 다 결정되는 것이며, 후천적인 인간의 노력은 아무런 소용이 없다. 마칼리 고살라(Makkhali Gosāla) 같은 사명파(邪命派: Ājīvika)의 주장이기도 했다. 많은 계급론자들, 그리고 많은 부유층의 사람들의 사고를 지배하는 오류이다.

5) 우연기회인설(偶然機會因說, diṭṭhadhamma-upakkama-hetu-vāda): 무인무연설(無因無緣說, adhicca-samuppāda-vāda)이라고도

불린다. 인생의 운명은 인과응보의 법칙에 지배되는 것이 아니며, 그렇다고 신의 은총이나 징벌에 의한 것도 아니다. 이 세상에는 착한 일만 하고 살아도 불행해지기만 하는 사람이 있으며, 악한 일만 하고 사는데도 행복하게 잘 사는 사람이 있으므로, 인간의 화복이란 일정한 원인이나 이유가 있어 생기하는 것이 아니라, 완전히 우연한 기회로 생겨나는 제멋대로의 것에 불과하다. 많은 회의주의자나 기회주의자들, 불확정성만을 믿는 우연론자들이 범하는 인과부정의 생각이다.

연기가 말해주는 이 세계의 실상은 무아라는 이 한마디로 귀착된다. 무아란 모든 존재의 실체성을 거부하는 것이다. 그것은 이 세계에 대한 기술방식 그 자체를 변혁시키는 작업이었다. "이 세계에 대한 기술방식"이라는 말에서 일차적으로 문제가 되는 것은 우리가 일상적으로 사용하고 있는 언어다. 우리가 사용하고 있는 언어는 모두 실체적인 방식으로 구성되어 있는 것이다. 그러기 때문에 이 세계에 대한 기술방식의 변혁에는 우리가 일상적으로 사용하고 있는 언어 그 자체에 대한 심각한 반성이 일어나지 않으면 안된다. 이것은 서구에서는 20세기에서나 와서 비로소 언어에 대한 반성이 일기 시작한, 비트겐슈타인(Ludwig Wittgenstein, 1889~1951)과 같은 사람들이 제기한 문제의식을 이미 불타시대에 모두 제기했다는 것을 의미한다. 그것도 부차적인 문제로서 제기된 것이 아니라 불교적 세계관의 메인 스트림으로서 제기된 것이었다. 그리고 이러한 언어에 대한 반성은 서구근세철학에서 제기한 "인식론적 반성"(epistemological reflection)의 제문제를 수반한다. 즉 언어의 반성은, 우리의 인식(사물을 아는 방법)의 반성이 없이는 불가능한 것이기 때문이다.

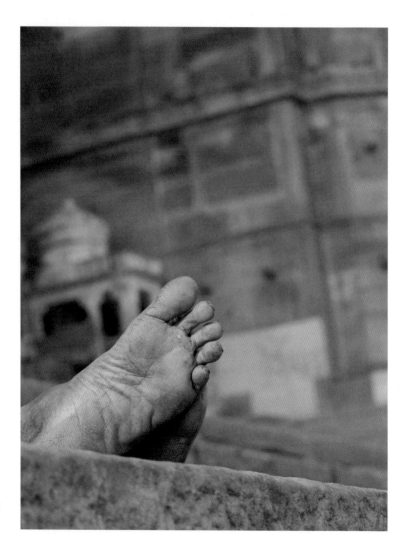

카시 간지스 강 가트에서

달라이라마와 도올의 만남(1)

무아와 연기

　내가 지금 이 글을 쓰고 있는 책상은 큰 창문을 마주보고 있고, 그 창문 밖에는 4각의 담으로 둘러싸인, 장독대가 한구석에 있는 자그맣고 어여쁜 잔디밭이 있다. 우리는 이 잔디밭을 항상 "잔디밭"이라고 부른다. "나의 책상 앞에는 잔디밭이 있다"라는 명제는 항상 불변적으로 우리집을 기술하는 말로서 쓰이고 있는 것이다. 그런데 우리가 알고 있는 잔디밭은 그 실상을 들어가 보면, 그것은 흙과 여러 가지 풀의 종류들, 그리고 헤아릴 수 없는 많은 생명체들의 군집으로 형성되어 있다. 개미·지렁이·지네·모기·파리·나비·진드기·딱정벌레·풀강아지·바퀴벌레·송장벌레·톡토기·짚신벌레·개미살이·노래기·솔진드기·풍뎅이 애벌레·매미 애벌레……

이러한 식물과 동물의 군집형태를 우리가 막연히 "잔디밭"이라 부르는 이유는, 우리의 잔디밭이라고 하는 추상개념에 어느 정도 맞아 떨어지는 자기동일적 모습을 지속적으로 유지하고 있기 때문인 것이다. 그런데 이 잔디밭은 고정불변의 것이 아니라 끊임없이 변하고 있는 요소들의 집적태에 불과하다. 변하지 않고 있는 것은 아무 것도 없다. 우리가 잔디라고 부르는 풀의 종을 주종으로 유지하면서 타 종을 끊임없이 제거하고 또 잔디의 형태를 이·삼부가리 머리깎은 것처럼 계속 유지하지 않는다면, 즉 그러한 자기동일성을 유지시키려는 노력을 게을리 해버린다면 잔디밭은 금방 잔디밭이 아닌 그 무엇으로 변해버린다. 잔디밭이 아닌 잡초밭이 되거나, 수목이 우거진 수풀이 되거나, 또는 시인 두보(杜甫)가 읊은 황무지가 되어버리고 말 것이다.

잔디밭이라는 고정불변의 실체가 있다고 하는 생각을 우리는 "아트만"이라고 부른다. 잔디밭에 잔디밭이라고 하는 아(我)가 있다고 생각하는 것이다. 그러나 잔디밭은 없으며, 그것은 끊임없이 변하는 요소들의 집적태일 뿐이며 잔디밭은 하시고 잔디밭이 아닌 그 무엇의 상태로 변할 수 있으므로 잔디밭은 항구적인 자기동일성(identity)은 없다고 생각하면 그것은 곧 "무아론"이 되는 것이다. 즉 무아란 단순히 아가 없다는 것이 아니라 그것이 끊임없이 변하는 요소들 간의 연기로서 이루어져 있다는 것을 말하려는 것이다. 즉 무아는 연기의 다른 이름인 것이다. 잔디밭이 있다라고 생각하는 것은 "내가 살아 있다," "내가 존재한다"라고 생각하는 것과 같다. 즉 이것은 내가 있어서 그 내가 살아 있고, 내가 있어서 그 내가 존재한다는 것이다. 그런데 그 "나"는 무엇인가? 알고 보면 그 나는 약 6×10^{13}개의 세포로 구성되어 있으며, 이 세포는 각자 수없이 다양한 특정한 목적이나 기능을 가지고 있다. 그 "나"는 적어도 5만여 종 이상의 단백질로 기능하고 있는 것이다. 생화학적으로 말한다면 나의 동일성(아트만)은 나에게 특유한 핵산과 단백질의 집합으로서 유지되고 있는 것이다. 결국 우리가 생물학 시간에 배우는 인체구조, 해부학(형태론)이나 생리학(기능론)에서 배우는 모든 인체에 관한 지식은, 우리 몸을 구성하고 있는, 그 자체로 끊임없이 변하고 있는 요소들의 연기관계를 아는 지혜인 것이다. 사실 "나"는 그 요소들의 연기관계 속에 있을 뿐이지, "내"가 있어서 그 요소들의 연기관계가 생겨나는 것은 아니다. 우리가 생물시간에 배우고 있는 정보는 곧 무아론적인 연기의 지혜를 배우고 있는 것이다. 우리가 해부학에서 말하는 형태나, 생리학에서 말하는 기능이 해체되어 버리면, 즉 일부라도 전체에 영향을 주는 손상이나 급격한 변화가 오게 되면 나는 순식간에 해체되어 버리고 말 것이며, 내가 아트만이라고 믿어온 나의 동일성은 온데간데 없이 연기처럼 사라지고 말 것이다.

  연기론에 기반을 둔 무아론은 모든 실체의 존립근거를 무너뜨리고, 따라서 모든 형이상학의 존립근거를 무너뜨린다. 이런 의미에서 불교는 근본불교로부터 오늘날의 대승이나 선에 이르기까지 철저히 반형이상학적 입장에서 성장·발전하여 왔다. 형이상학

(metaphysics)이란 무엇인가? 그것은 한마디로 신이라든가, 영혼이라든가, 변치않는 우주의 근원이라든가, 인간의 의지가 표상하는 여러 가지 개념들, 이러한 것들을 시공간 속에서 유전하는 현상계를 초월하는 어떤 형이상학적인 본체계의 존재들로서 상정하여 연구하는 것이다. 20세기 이전까지 모든 서양철학사의 주류는 바로 이러한 형이상학에 의하여 지배되어 온 것이다. 그러나 불교는 시공간을 초월한 어떠한 실체도 인정하지 않는다. 그것을 인정하면 그것은 곧 불교가 아니다. 싯달타라는 인도의 청년에게, 동종의 육신을 보유한 한 인간으로서 나 도올이 존경의 염을 갖는 이유는, 그의 사상의 결백성과 철저성이다. 싯달타는 연기를 깨닫는 순간부터 모든 종교와 철학을 지배해온 형이상학을 거부했던 것이다. 우리의 경험을 초월한, 시간과 공간을 초월하여 영원히 존재하는 본체계라는 것은 싯달타에게 존재하지 않는다. 그에게는 모든 종교가 말하는 신이 존재하지 않는다. 그에게는 칸트가 말하는 선험적 자아도 존재하지 않는다. 싯달타에게는 이 세계에 궁극적으로 불변하는 어떤 물질의 단위가 존재한다는 신화도 존재하지 않는다. 우리가 우리의 고뇌를 인식하고 발버둥치고 수양을 쌓아 그것을 벗어나려는 모든 노력이 시공간내에서 즉 철저히 현상내에서 이루어지는 것이다. 불교는 현상론(phenomenalism: 훗설이 말하는 현상론과는 전혀 차원이 다른 것이다) 이다. 불교의 본체론이란 연기론일 뿐이다. 연기론이 곧 실상론이요, 실상론이 곧 본체론이요, 본체론은 곧 현상론이다. 불교에서 말하는 모든 실상과 본체가 연기일 뿐이요 현상일 뿐이다. 이것이 20세기에 이르기

까지 두 밀레니엄동안 서양철학이 본질적으로 불교를 이해할 수 없었던 가장 중요한 이유인 것이다. 불교는 헤겔의 형이상학의 붕괴가 일어나기 시작한 19세기 후반부터 20세기초에 이르러 겨우 이해되기 시작했던 것이다. 그것은 기나긴 불교의 동면이었다.

인도는 대륙이요 평원이요 생명의 환희였다. 룸비니 가는 길에.

무기와 안티노미

싯달타는 기존의 형이상학적 명제들을 요약하여 십무기(十無記)라고 불렀다. 십무기는 열 가지의 무기(無記)라는 뜻이다. 무기(avyākata)란 무엇인가? 그것은 "기술할 수도 설명할 수도 없는 것"이라는 뜻이다. 형이상학적 실체라고 상정하는 것들은 시공간의 현상계에 속해있는 것이 아니며, 따라서 우리가 경험하거나 인식하는 것이 불가능하므로 그것에 관하여 옳다 그르다 라는 시비의 판단을 내릴 수가 없다는 뜻이다. 이런 것들을 열 가지로 요약

하면 다음과 같다.[44]

A) 자아 및 세계는 시간적으로
- 1. 무한하다.
- 2. 유한하다.
- 3. 무한하면서 또 유한하다.
- 4. 무한하지도 유한하지도 않다.

B) 세계는 공간적으로
- 5. 무한하다.
- 6. 유한하다.

C) 영혼과 육체는
- 7. 동일하다.
- 8. 별개의 것이다.

D) 여래(깨달은 자)는 사후에
- 9. 생존한다.
- 10. 생존하지 않는다.

이것은 칸트가 안티노미(이율배반)라고 부른 것과 동일한 성격의 것이다. 즉 하나의 사태에 대하여 상반되는 두개의 판단이 동시에 성립할 때 그것은 우리의 지식의 대상이 될 수가 없는 것이다. 안티노미는 칸트철학이 순수이성비판에서 실천이성비판으로 넘어가는 분수령을 이루는 것이다. 싯달타 또한 이러한 안티노미를 해결하는 것을 자신의 철학적 과제로 삼지 않았던 것이다. 싯달타가 형이상학적 문제를 배척한 이유로서 우리는 다음의 두 가지 문제의식을 꼽을 수 있을 것이다.

첫째로 이러한 형이상학의 문제는, 우리의 인식이나 경험을 넘어서는 문제이므로, 궁극적으로 절대적인 해결이란 있을 수가 없다는 것이다. 이 세계에 과연 시작이 있는가? 과연 종말이 있는가? 우리가 가장 최신의 물리학설로서 비그뱅(Big Bang)이론을 도입한다 하더라도, 우리는 또 다시 비그뱅 이전의 우주는 어떠한 것이었을까 하는 문제를 제기할 수 있는 것이다. 우주는 수축하고 있는가 팽창하고 있는가? 과연 종말이 올 것인가? 종말이란 과연 무슨 의미인가? 우주의 공간모형은 과연 어떠한 것인가? 호킹박사의 모형은 어디까지 타당한가? 과연 지대(至大)는 무외(無外)인가? 무한이란 어떤 의미인가? 이 모든 것에 절대적 해답을 내릴 수는 없다. 아무리 위대한 물리학이라 할지라도 이러한 질문은 궁극적으로 감관적 사실이라기 보다는 추론의 영역에 속하는 것이다. 그럼에도 불구하고 우리가 추론적인 가설을 세우는 이유는 그것이 언젠가 경험적으로 입증될 수도 있고, 또 경험적으로 반드시 입증되지 않더라도 가설 그 자체만으로도 유용한 새로운 진리를 우리에게 제공하기 때문이다. 그러나 싯달타에게 이러한 형이상학적 추론은 극히 무의미한 것이었다. 그가 제기한 문제들은 우주의 물리적 실상에 관한 문제가 아니라 궁극적으로 우리 삶의 윤리적 문제였기 때문이다.

따라서 두번째로 그가 가졌던 문제의식은 다음과 같이 요약된다. 그렇다면 일보 양보하여 이러한 형이상학적 문제가 해결되었다 하더라도 그러한 해결은 우리 삶의 고뇌의 해탈에 별로 도움도 주지 않는다는 것이다. 우리가 해탈해야할 것은 궁극적으로 현상계의 문제였을 뿐 아니라, 그 해결도 현상계 속에서 이루어져야 하는 것이다. 이것이 연기론의 철저성이다. 다시 말해서 아이러니칼하게도 싯달타가 당면한 종교적 문제는 형이상학적인 종교로써는 해결될 길이 없었던 것이다. 종교는 종교적 문제를 해결할 수가 없는 것이다.(2권에 계속)

— 註 —

1. 우리나라 예술의 전당 미술관에서 1999년 7월 1일부터 8월 29일에 걸쳐 "간다라미술"에 관한 매우 훌륭한 전시(The Exhibition of Gandhara Art of Pakistan)가 있었다. 간다라미술의 역사적 흐름을 한눈에 볼 수 있게 하는 훌륭한 작품들이 다수 출품되었다. 여기 해설되고 있는 고행상도 출품되었는데, 그것은 카라치국립박물관 소장의 석고 복제품이었으나 본품 못지 않게 정교한 작품이었다. 이 작품에 관한 나의 설명은 본전시의 도록에 실린 이주형교수의 도판해설을 참고한 것이다. 이 도록의 앞부분에 "간다라미술"이라는 제목의 이주형교수의 논문이 실려있는데, 우리말로 접할 수 있는 간다라미술에 관한 논설로서는 가장 포괄적이고 상세한 훌륭한 글이라 할 수 있다.

2. 上山春平・梶山雄一 編, 『佛敎の思想』(東京 : 中央公論社, 1980), 中公新書 364, pp.135~138. "윤회와 업"이라는 장을 참고했다.

3. 同上, p.141. 비슷한 논의가 있다.

4. 붓다의 생애에 붓다의 입에서 나온 말들을 경전에서 추적하는 작업은 지극

히 어렵다. 예수가 아람어(Aramaic language)라는 당대 팔레스타인 지역의 토속말을 한 사람이라면, 붓다 또한 지금의 비하르 지역(간지스강 중류지역)의 통속어인 마가다어(Magadha language)를 말했던 사람으로 추정되고 있다. 그러나 예수의 아람어 이야기가 최초로 기록된 것은 코이네(κοινή)라는, 고전 희랍어가 대중화되고 보편화되면서 생겨난 공공언어였다. 마찬가지로 붓다의 이야기가 기록된 것은 산스크리트어나 서북인도의 팔리어, 그리고 다양한 쁘라끄리뜨어(Prākrit languages, 통속어)로 전승된 것이다. 그리고 고대인도는 양피지나 종이와 같은 필기도구가 발달하지 않았을 뿐 아니라, 애초에 인간의 언어를 문서로 남기는 것에 대한 의식이나 전통이 없었다. 그것은 인간의 앎의 대부분이 종교적 비전의 지식의 성격을 지닌 것이었으며 따라서 그것은 인간의 두뇌작용인 암송이라는 기능에 의하여 전승되는 것을 원칙으로 삼았다. 그리고 이러한 전승은 그들의 계급의식, 선민의식과 불가분의 관계를 맺고 있다. 따라서 불타의 이야기가 결집(結集)되었다 하는 것은 모두 암송하는 사람들 사이에서, 암송작업을 체계화하고 정리하고 종합하는 것이었다. 대체적으로 불타의 사후 사오백 년 간은 문자화되는 작업은 별로 없었다고 여겨지는 것이다. 그러나 암송의 전승도 우리가 생각하는 문헌의 전승 못지 않게 정확도가 있을 수 있다는 것을 염두에 두어야 한다.

예수를 알려면 우리가 『신약성서』에 의존하지 않을 수 없듯이, 붓다를 알려면 우리는 붓다의 말을 기록한 성경에 의존하지 않을 수 없다. 이 붓다의 성경은 암송자들의 기억을 시각화한 것인데, 이것은 대체적으로 세 가지 종류로 대별된다. 그 하나는 스리랑카로 전수된 팔리어삼장이며, 하나는 중국으로 전수된 한역대장경이며, 또 하나는 티벹으로 전수된 티벹장경이다.

우리는 불교성전이라 하면 무조건 팔만대장경을 연상하기 쉽지만, 이 대장경이라고 하는 것은 후한말에서 시작하여 위진남북조시대, 수·당대를 통하여 성립한 것이며 그것은 이미 출발 자체가 불교의 역사에서 보자면 매우 후대의 것이며, 최소한 대승불교의 성립이후의 사건이다. 게다가 한역

(漢譯)이라고 하는 무지막지하게 난해한 작업, 전혀 다른 두 언어 사이의 전사작업은 엄청난 왜곡을 수반하지 않을 수 없었다. 따라서 우리가 한문으로 된 불전을 읽을 때는 그것이 이미 중국인들의 마음 속에서 중국화된 중국불교의 결실이라는 전제 하에서 세심한 문헌비평(text criticism)의 작업을 수행해야 하는 것이다.

그런데 우리가 여기 소승·대승이라고 하는 매우 혼동스러운 용어 때문에 불교의 역사적 실상이 왜곡되기 쉽고, 소승비불설(小乘非佛說)이니 대승비불설(大乘非佛說)이니 하는 잡론까지 횡행하기 쉬우나, 내가 생각하기에는 소승불교는 초기부파불교 정도로, 대승불교는 보살운동 이후에 생겨난 대중불교 정도로 이해하는 것이 보다 역사적 실상에 접근한다고 판단되는 것이다. 일본학자들에 의하여 근본불교, 원시불교, 초기불교 등의 말이 쓰여지고, 영어로는 fundamental Buddhism, primitive Buddhism, original Buddhism, early Buddhism, sectarian Buddhism 등의 말이 쓰여지는데, 이것은 기독교교회사의 초기시대를 규정하는 개념적 논의와 비슷한 것이다. 이것은 사도 바울의 선교활동시대로부터 AD 4세기의 알렉산드리아 27서 결집 이전의 시대를 어떤 시각에서 바라보느냐는 문제와 상통하는 것이다. 콘스탄티누스 대제의 기독교 공인 이후의 로마기독교를 대승기독교라고 한다면, 그 이전의 소아시아 초기기독교를 소승기독교라 해도 무방할 것이다. 그러나 여기에는 좀 더 정밀한 논의가 필요하다.

붓다의 사후 100년경 바이샬리(Vaiśālī)에서 소위 2차결집이 이루어지는데, 이때 불교교단 내의 사소한 규칙의 해석의 문제, 예를 들면 구걸해온 소금을 좀 축적해두어도 되느냐? 밥 먹는 시간을 좀 느슨하게 해도 되지 않느냐? 또는 깨달은 자라 해도 무지가 완전히 소멸되는 것은 아니지 않은가? 등등의 문제를 두고 보수적인 정통성을 그대로 고집하려는 상좌부(上座部, 그 회의에서 위에 앉은 원로들이었을 것이다. 팔리어로 Theravādins, 산스크리트어로 Sthaviravādins라고 한다)와 보다 대중적인 입장에서 느슨하게 해석하려는 승가내 진보적인 성향의 사람들인 대중부(大衆部, Mahāsāṃghikas) 사이에서

의견의 차이가 생겨나, 교단이 분열하게 되는데, 이 분열을 우리는 "근본분열"이라고 부른다. 이 근본분열 이후 불교는 많은 지파분열을 거듭하면서 부파불교시대로 진입하게 되는 것이다.

20세기초 일본학자들에 의하여 초기불교사를 바라보는 시각에 관한 여러 명칭이 생겨나서 혼동이 있을 수가 있는데, 그 명칭들을 정리해보면 다음과 같다. 역사적 싯달타가 득도 후에 설법한 시기를 45년간으로 잡는다면, 이 붓다 살아 생전의 시기의 불교를 보통 개념적으로 "근본불교"(根本佛敎)라고 부른다. 그러니까 근본불교는 가장 순수한 붓다 자신의 입에서 나온 가르침의 불교라 할 수 있다. 그러나 불타 자신의 시대에는 정확하게 승가의 개념이 성립하지 않았다. 그러니까 불타의 가르침은 그냥 일반인들을 대상으로 한 것이다. 왜냐하면 그 당시는 정확하게 불교도라는 말이 성립할 수 없는 시기이기 때문이다. 그러나 이렇게 순수하게 일반인들을 대상으로 한 붓다의 교설은 별로 남아있지 않다. 현존하는 모든 경전은 이미 종단적 성격이 가미되어 있는 것이다.

그리고 불타의 사후로부터 근본분열을 거쳐 부파불교가 성립하기까지의 시기를 보통 "원시불교"(原始佛敎)라고 부른다. 부파불교의 성립시기를 보통 아쇼카왕시대 전후, 그러니까 제3차 파탈리푸트라 결집시점을 중심으로 생각한다면, 원시불교는 아쇼카왕 이전까지의 불교에 해당된다고 여겨지는 것이다. 그러나 실상 근본불교와 원시불교는 정확하게 구분될 수가 없다. 왜냐하면 근본불교든지 원시불교든지 모두 그 자료가 부파불교시대에 성립한 자료를 통해서 추적하는 것이기 때문에 이것이 근본불교이고 저것이 원시불교라 할 수 있는 기준을 찾기가 어렵기 때문이다.(『숫타니파타』는 아쇼카 결집 이전에 성립한 것이 확실시되는 희유의 경전이다.) 따라서 통상 근본불교는 원시불교개념 속에 포섭되는 것이다. 우리가 이 원시불교를 추적하는 자료는 팔리어삼장 중, 경장(經藏)과 율장(律藏)이다.

붓다가 입멸(入滅)한 직후에 붓다를 생전에 모신 뛰어난 제자들 500명이 모여 "法과 律"을 편집했다고 하는데, 이 중 法(dhamma)은 아함경이 된 것이고, 律(vinaya)은 율장(律藏)이 된 것이다. 이 전승이 부파불교 상좌부로 계승되어 있던 것이 오늘날 팔리어삼장 중 경장과 율장 부분이 된 것이다.

그리고 부파불교가 완성된 시기, 그러니까 북전(北傳)불교에서 말하는 소승이십부(小乘二十部)가 성립된 시기를 기원전후경으로 잡는데, 이 부파불교는 삼장 중에서 경·율을 제외한 논장(論藏)에 그 특색이 드러나 있다. 원칙적으로 경·율은 모든 부파에 공통될 수밖에 없는 것이다. 그러한 붓다의 법(산스크리트어 dharma, 팔리어 dhamma)에 대한(abhi) 설명주석을 아비달마(阿毘達磨)라 하는데 이 아비달마가 논장이며, 이 논장의 성립은 부파의 완성을 의미하는 것이다. 그리고 이렇게 부파가 완성되어가는 시기는 또 보살 중심의 대중운동이 드러나는 시기와 겹치게 된다. 그리고 대승불교운동은 이 부파불교와의 공방 속에서 자라난 것이며, 부파불교는 대승운동으로써 종료되는 것이 아니라 더불어 발전해나간 것이다. 따라서 부파불교와 대승불교는 시기적으로 엄밀하게 나눌 수는 없다. 우리가 보통 소승이라고 부르는 것은 대승불교의 입장에서 본 부파불교를 지칭한 것이다. 나는 거칠게 대승불교출현 이전의 불교를 총괄하여 초기불교(Early Buddhism)라 칭한다. 물론 이 초기불교의 개념 속에는 근본불교, 원시불교, 부파불교, 소승불교의 개념이 다 포괄되는 것이다. 그렇지만 하위적 구분개념도 여전히 유효한 것이다.

소승의 상좌부계열에서 성립한 결집장경으로 삼장(三藏)을 갖춘 유일한 경전이 소위 "팔리어삼장"인 것이다. 보통 우리가 대장경을 영어로 "트라이피타카"(Tripitaka)라고 하는데 이것은 세 개의 바구니라는 팔리어에서 유래된

것이다. 세 개의 바구니란 무엇인가? 그것은 율(律)과 경(經)과 논(論)을 말하는 것이다. 율이란 승가를 유지하면서 생겨나는 여러 규칙이나 계율에 관한 부처님의 말씀이다. 경이란 부처님께서 깨달으신 진리를 설파한 내용들을 담아놓은 것이다. 논이란 부파불교시대로 들어가면서 이 부처님의 말씀에 대하여 후대의 제자들이 논구한 주석이나 독립논설이다. 물론 논은 경이나 율에 비해 그 권위가 떨어질 것이지만, 팔리경전의 특징은 삼장의 체제를 정확하게 유지했다는 것과 후대에 성립한 대승경전이 일체 삽입되지 않았다는 것이다. 완벽하게 소승부파불교시대의 언어만을 담아놓은 것이다. 오늘날 우리가 볼 수 있는 체제로서 문자화된 그 원형의 성립은 BC 29년경 스리랑카의 밧타가마니 아바야왕의 통치시기로 추정하는데, 물론 그 삼장의 내용 자체는 매우 초기로부터 축적적으로 성립한 것으로 보인다. 그러므로 우리가 보통 불교의 성전하면, 한역대장경을 생각하기 쉬우나, 그것은 후대의 잡설이 심하게 찬효된 것이며, 사실 진짜 초기불교의 성경(the Bible)은 "팔리어삼장"밖에는 없다.

중국이나 조선에서 인도로 경전을 구하러 간 수행승(入竺僧)들을 "삼장법사"(三藏法師, 현장[玄奘]과 같은 사람들)라고 부르는 것도, 이들이 구하고자 한 것이 바로 "팔리어삼장"이기 때문인 것이다. 이 팔리어삼장이 오늘날까지 완벽하게 보존되어 우리가 그 원전형태를 볼 수 있다는 것은 참으로 기적과도 같은 사실이다.

팔리어삼장중 핵심부분인 경장(經藏)은 다섯 부(部)로 되어 있는데, 이 "모음집"이라는 뜻을 지니는 부를 팔리어로는 니까야(nikāya)라고 부른다. 이 니까야는 장부(長部, Dighanikāya), 중부(中部, Majjhimanikāya), 상응부(相應部, Saṁyuttanikāya), 증지부(增支部, Aṅguttaranikāya), 소부(小部, Khuddakanikāya)의 다섯 니까야로 되어있는데, 바로 이 다섯 니까야에 해당되는 대장경 부분이 산스크리트에서 한역으로 전승된 소위 아함이라고 하는 것이다. 아함을 보통 중국에서 아함경이라고 불렀기 때문에 우리는 아함경이 한 권의 책이름인 것처럼 알고 있지만, 아함이란 본시 아가마(āgama)의 음사일 뿐이며, 그것은 "우리에게 전해져 내려온 것" 혹은 "그러한 가르침의 모음"이란 뜻이다. 즉 아함이란 말은 전승(傳承)의 뜻으로, 고타마 싯달타의 직설(直說)로 여겨지는 경전이라는 뜻이다. 사실 순수한 초기불교의 경장은 대장경에서 『長阿含』『中阿含』『雜阿含』『增一阿含』四部四阿含밖에 없다. 이 네 아함이 팔리어 경전의 다섯 니까야에 상응되는 것이다. 그러나 현존하는 다섯 니까야는 남방상좌부에서 성립한 것이며, 한 부파의 경장(經藏) 전승이 고스란히 보존된 것으로는 유일한 것이다. 산스크리트원전은 사라지고 한역된 것만 남은 4부4아함은 남방상좌부 외의 法藏部(『장아함』), 有部계열(『중아함』, 『잡아함』), 大衆部계열(『증일아함』)에서 성립한 것으로 분명히 그 전승의 루트가 다르다. 그럼에도 불구하고 오늘날 이 양자를 대조해보면 동일한 모태적 자료의 공통성을 지니고 있다. 동아시아문명권에서는 아함을 하찮은 소승경전이라 하여 대승불교의 입장에서 폄하했을 뿐 아니라, 중요시하지 않았다. 그러나 19세기 후반부터 20세기 초에 걸쳐서 팔리어삼장이 『남전대장경』으로서 소개되면서 비로소 아함의 진가가 드러났을 뿐 아니라 이 4부4아함과 5니까야의 兩傳을 대조연구함으로써 원시불교의 진의를 파악하는 데 혁명적인 전기를 마련할 수 있었던 것이다.

팔리삼장, 한역대장경, 티벹장경은 제각기 특색이 있다. 팔리삼장의 오리지날한 가치는 아무리 부언하여도 그 위대성을 다 드러내기에 부족하다. 이 팔리삼장의 간결성과 오리지날리티에 비한다면 중국의 한역대장경은 초기불교를 넘어서서 대승경, 대승률, 대승론 등 그 외로도 잡다한 형식을 다 포괄했을 뿐 아니라 인도인의 저작뿐이 아닌 중국인, 한국인의 저작까지 포함하여 매우 잡다하고 번쇄하고 방대하다. 전기, 목록, 여행기 등의 장르까지 다 들어가 있는 것이다. 그리고 2세기로부터 1천여 년에 걸친 번역이 중복되는 상황에도 개의치 않고 있는 그대로 고스란히 들어가 있으므로 그 역사적 전개를 파악하는 데는 매우 상교하다. 대장경의 편찬자들은 어떠한 의미에서 삼장(三藏)의 체계를 고수할 수 없기 때문에 삼장이라는 말을 못쓰고 "대장경"(大藏經), 혹은 "일체경"(一切經)이라는 말을 사용했을 것이다. 그러므로 대장경은 중국의 독자적 불교를 이해하는 데 불가결의 자료일 뿐 아니라 잡동사니가 모조리 들어가 있는 쓰레기바구니 같은 것이라서 들쑤셔 내면 낼수록 무궁한 자료들이 쏟아져 나온다. 그러나 그 번쇄함과 장황설은 때로 선종이 왜 "불립문자"를 외쳐야만 했는지를 깨닫게 해준다. 한역장경 중에서 세계적으로 가장 신빙성이 높고 체계가 짜임새 있는 것이 바로 우리나라 합천 해인사에 보관되어 있는 고려판 대장경이다. 일본의『大正新修大藏經』은 이 고려판을 저본으로 해서 이루어진 것이다.

티벹장경은 우선 삼장의 체제를 가지고 있지 않으며, 칸규르(Kanjur, 甘殊爾)와 텐규르(Tanjur, 丹殊爾)라는 2大部로 구성되어 있다. 전자를 불설부(佛說部), 후자를 논소부(論疏部)라 보통 명하는데, 불부(佛部)・조사부(祖師部)라 역하기도 한다. 대체적으로 칸규르는 경장(經藏)에 텐규르는 논장(論藏)에 해당된다고 말할 수 있지만, 그러한 개념규정에 정확히 대응되지는 않는다. 율장(律藏)은 칸규르와 텐규르에 분속되어 있다. 칸규르에는 율(律)의 기본 전적이 들어가 있고, 텐규르에는 그것에 관한 주석류들이 수록되어 있는 것이다. 티벹장경은 내용성립시기 자체가 팔리삼장이나 한역대장경에 비해 매우 늦으며 따라서 후대의 사라진 인도인의 논서들이 상당수 고스란히 보존되어 있다. 그것은 대부분 산스크리트어로부터 번역된 것인데, 7세기경부터 시작하여 9세기에는 대부분이 번역되었으며, 13세기에 칸규르・텐규르 2部의 체계로 처음 목판인쇄되었다(나르탕古版, Snarthan). 한역과 공통된 경론(經論)은 551部에 지나지 않으며 그 나머지 부분 중 3,000部 이상이 밀교(密教) 관계이다. 이것은 인도불교의 후대변천양상을 잘 말해주는 것이다. 한역이 의역이라면 티벹역은 산스크리트어에 대응하는 축어적 직역의 성격을 지닌다. 티벹고전문자 자체가 불전번역을 위하여 산스크리트를 모방하여 만들어진 것이며, 또한 티벹은 중국과는 달리 자기자신의 고전문화전통을 가지고 있질 않았다. 그래서 티벹어역으로부터 산스크리트원전을 복원하는 작업은 상당한 정확성을 과시한다. 따라서 산스크리트원전이 유실된 경론의 연구에 티벹장경은 매우 유용하다. 그리고 티벹장경에는 원칙적으로 티벹인들의 저작이 포함되어 있지 않다.(텐규르에는 티벹인의 저작이 약간 포함되어 있기는 하다.)

붓다의 전기자료로서 가장 신빙성이 높은 것은 역시 팔리어삼장 중에서 경장과 율장에 수록되어 있는 파편들일 것이다. 그런데 학자들 간에 이견이 있으나 대체적으로 율장계열의 전기파편(biographic fragments)이 경장계열의 전기파편보다 더 오리지날하다고 간주되고 있다. 왜냐하면 경장에 나타나는 전기파편은 특정한 교설을 설명하기 위하여 자유롭게 전기적 사실을 날조하거나 그 맥락에서 변조시키는 욕구가 강하게 노출되어 있는 반면, 율장에 나타나는 전기파편은 계율을 가르치기 위하여 관련된 붓다의 삶의 체험이 설하여지고 있을 뿐이다. 따라서 자상한 교사로서, 초전법륜으로부터의 붓다의 목회의 초기체험과 그 속에 반영되어 있는 대각과 관련된 사건들이 담담하게 설하여 지고 있는 것이다. 그리고 경장의 전기파편은 붓다의 전생애(前生)의 이야기인 본생담, 자타카(jātaka)에 많은 강조점이 놓여있다.

이러한 맥락에서 팔리삼장 중 율장 속에 붓다전기자료를 많이 포함하고 있는 경전이, 바로 건도부(犍度部, Khandhaka) 속에 편집되어 있는『마하박가』(Mahāvagga), 즉『대품』(大品)이다. 이『마하박가』는 붓다의 전기자료로서 비록 완정한 것은 아니지만, 붓다의 입에서 나온 말을 추정하는데 있어서 최고(最古)층대의 자료를 제공하는 문헌임에는 틀림이 없다.

여기 "중도"(中道)에 관하여 인용된 부분은 붓다가 사르나트에 와서 다섯 비구를 만나 설법한 초전법륜 중에서 과거를 회상하며 중도의 자각을 설명하고 있는 부분이다.

팔리어삼장은 근세에 불교남전지역에 유럽인들의 제국주의적 손길이 뻗치면서 그들 유럽인학자들의 손에 의하여 새롭게 정리되고 그 유니크한 가치가 세계에 소개되기 시작했다. 1824년 클러프(B. Clough)에 의하여 최초의 팔리어문전이 출판되었고, 1826년 뷔트누프(E. Burnouf)와 랏센(Ch. Lassen)이 공동으로『팔리어연구』를 출판하였다. 그리고 1855년 파우스뵐(V. Fausböll)이 학술적 가치가 있는 최초의 원전으로서『法句經』(Dhammapada)을 출판함으로써 세계 학술계에 일대 충격을 던졌다.『法句經』은 팔리삼장 중 경장에

분류되어 있는 다섯 번째 니까야인 소부(小部) 속에 들어있는 것이다.

1870년대 불후의 노작인『팔리어사전』(*A Dictionary of the Pali Language*, 1870～73)이 칠더즈(R. C. Childers)에 의하여 간행되고, 1881년에는 리즈 데이비즈(T. W. Rhys Davids)가 런던에 팔리성전협회(Pali Text Society)를 설립하여 팔리어삼장의 원전출판에 착수하기 시작하였다. 우리가 보통 "PTA본"이라고 하는 것은 이 런던의 팔리성전협회 판본을 지칭하는 것이다. 그리고 이 팔리어삼장은 1935년부터 1941년까지『南傳大藏經』이라는 이름으로 일본학자들(高楠博士功績記念會纂譯)에 의하여 번역・출간되었다. 65권 70책의 방대한 분량에 이르고 있는데 팔리어삼장과 약간의 藏外典籍의 완역이다. 사계의 대석학들의 매우 치밀한 작업이다. 그래서 우리는 현재 팔리어를 모를지라도 일본어를 통하여 손쉽게 이 팔리어삼장의 문을 두드릴 수 있다.

그런데 이 삼장 중『마하박가』는 우리나라에서도 최봉수선생에 의하여 완역되었다. 일본어 번역에 의존치 않은 팔리어 직역이며 그 명쾌함과 유려함이 일역에 비해 손색이 없을 뿐 아니라 우리 가슴에 훨씬 잘 와 닿는다. 나는『남전』역과 최봉수역, 이 양자를 절충하여 인용하였다. 내가 인용한 부분은『大品』第一大犍度, 初誦品의 여섯 번째 初轉法輪중 제17단락이다. 다음과 같은 방식으로 간략히 인용하겠다:『대품』1-6-17,『남전대장경』3-18(3권 18쪽). 그런데 최봉수 선생의『마하박가』는 번호가 좀 다르다.『남전대장경』이 PTA본에 근거한 반면, 최봉수의『마하박가』는 1961년 인도에서 나온 NDP본(Nalanda Devanagari Pali Grantamala)에 근거했기 때문이다. NDP본은 미얀마본을 기준으로 한 것이다. PTA본과 내용상의 대차는 없다. 최봉수 옮김,『마하박가』1-7-1(서울 : 시공사, 1998), 제1권, p.59.

그리고 특기할 사실은 한국에도 한국빠알리성전협회(Korea Pali Text Society)가 1997년에 설립되어 지속적으로 팔리어삼장의 번역을 시도하고 있다는 것이다. 동국대학교・독일 본대학에서 학위과정을 마치고 스리랑카 빠알리불교대학 교수까지 역임한 전재성박사에 의하여『잡아함경』에 해당되는 『쌍윳따 니까야』(Saṃyutta-Nikāya) 전체가 11권으로 번역, 이미 출간되었다. 전재성 역주, 『빠알리대장경, 쌍윳따 니까야』, 전11권, 서울 : 한국빠알리성전협회, 1999~2002. 텍스트는 PTA본을 썼다. 정확한 원전지식의 기초 위에서 착실한 번역을 시도하고 있는 전재성박사의 고독한 작업에 경의를 표한다. 의식있는 독자들의 성원을 빈다. 『쌍윳따 니까야』는 5부 니까야 중에서도 가장 고층대의 모음집이며 역사적 붓다의 리얼한 모습이 생생하게 드러나 있다. 아카누마 치젠(赤沼智善)은 그 소박한 내용의 느낌이 공자의 『논어』와도 같다고 평했는데 적중한 표현이라 할 수 있다.

5. 길희성, 『인도철학사』(서울 : 민음사, 1984), pp.37~8.

6. 삼위일체를 둘러싼 의논들은 매우 애매하다. 이 문제를 논리적으로 명쾌하게 해설한 글로서 나는 암스트롱의 하기서를 들겠다. Karen Armstrong, "Trinity: The Christian God," *A History of God* (New York : Ballantine Books, 1993), pp.107~131. 삼위일체 정통파들을 카파도시안즈(The Cappadocians)라고 부르는데 이들의 주장은 신은 하나의 본질(*ousia*)일 뿐인데 그것은 우리의 언어나 감관으로 파악할 수 없는 것이라는 데서 출발한다. 그 본질은 우리가 파악할 수 있는 세 개의 표현태(*hypostases*)를 가지고 있는데, 그것이 성부, 성자, 성신이다. 성부, 성자, 성신 이 하나로써만은 항상 불완전한 파악에 머물 수밖에 없다. 일체(一體)는 잠재태이며 삼위(三位)는 현실태인 것이다. 아리우스는 이러한 삼위일체설은 오히려 신을 인간화시키고 우상화시키는 오류를 범한다고 생각한다. 예수는 철저히 피조물로서의 인간일 수밖에 없으며 신일 수 없다. 로고스도 인간일 수밖에 없다. 신은 절대적이며 초월적인 그 무엇이다. 그러나 예수는 인간으로서 죽음에 이르기까지 철저히 신에 복종하였다. 그래서 신은 그에게 퀴리오스(*kyrios*, 주님)라는 신적인 타이틀을 주고 또 신적인 지위로 그를 승격시킨 것이다. 예수의 신성은 예수의 본질이 아니라 후천적인 보상이며 선물이다. 예수가 인간이 아니라면

우리는 희망이 없다. 우리 인간은 인간예수를 본받을 수 있기에 우리도 신격화될 수 있는 것이다. 아리우스에게는 예수의 인성에 관한 철저한 인본주의와 인간의 신격화에 대한 낙관주의가 묘하게 결합되어 있는 것이다. 반면 아타나시우스는 예수를 철저하게 신성적 존재로 보고 그 인간적 모습은 구속자로서의 현현일 뿐이라고 간주한다. 예수가 인성의 허약함에 복속된다면 그는 인간을 구원할 자격이 없다고 보는 것이다. 그리고 성부와 성자를 분리시키면 다신론의 위험성이 개재된다는 것이다.

7. 수학을 돈오와 연결시켜 설명한 것은 이미 수학자이며 20세기의 가장 훌륭한 철학자 중의 한 사람인 버트란드 럿셀경이 그 유명한『서양철학사』속에서 한 말이다.

For Pythagoras, the "passionate sympathetic contemplation" was intellectual, and issued in mathematical knowledge. In this way, through Pythagoreanism, "theory" gradually acquired its modern meaning; but for all who were inspired by Pythagoras it retained an element of ecstatic revelation. To those who have reluctantly learnt a little mathematics in school this may seem strange; but to those who have experienced the intoxicating delight of sudden understanding that mathematics gives, from time to time, to those who love it, the Pythagorian view will seem completely natural even if untrue.
Bertrand Russell, *A History of Western Philosophy* (New York : A Touchstone Book, 1972), p.33.

8. 憍陳如 등 다섯 명의 친구들이란 싯달타의 아버지 淨飯王이 파송한 사람들이라고 하지만, 사실 이 다섯 명의 정확한 이름은 알 길이 없다.『中本起經』에는 "拘憐(카운디냐=憍陳如), 頞陛(알폐), 拔提(발데), 十力迦葉, 摩南拘利"로 되어있다. 아함에 나타나므로 그 전승이 상당히 초기에 속하는 것으

로 보이지만 결국은 전기작가들에 의한 양식적 구성일 것이다. 『마하박가』에도 "다섯 비구"라는 표현으로만 등장한다. 이 다섯 비구는 후일 싯달타가 성도한 후에 초전법륜을 득한 최초의 제자가 되었다.

9. 바라나시(Varanasi)는 간지스강으로 흘러 들어가는 바라나강(the Varanā River)과 아시강(the Asi River), 두 강 사이에 위치하고 있기 때문에 붙여진 이름인데, 옛 이름은 카시(Kāshī)이다. 바나라스(Banaras), 베나레스(Benares)라고도 불린다. 카시는 간지스강 유역에 정착한 북인도의 아리안종족의 이름에서 유래되었다. 카시는 코살라국(the Kosala kingdom)에 편입되었다가 결국 마가다국(the Magadha Empire)으로 복속되었다. 카시의 산스크리트어원(kāsh)에 빛난다(to shine)는 뜻이 있어 보통 "빛의 도시"(City of Light)라고 지칭하기도 한다. 시바(Shiva)신의 광채가 여기서 빛난다는 뜻이다. 인도의 가장 성스러운 도시이며 강가(Ganga)의 여신이 사가라(Raja Sagara)의 6만 명의 죽은 아들들의 죄를 씻어주기 위해 하강했다는 전설에 따라, 인도인들은 여기 간지스강에서 목욕하면 모든 죄가 씻겨진다고 믿는다. 그리고 여기서 죽고 가트(Ghat, 강둑)에서 화장되면 윤회의 굴레에서 벗어난다고 믿는다. 죽기 위한 최상의 장소인 것이다.

이 세계의 모든 고대도시들이 그 실상인즉슨 근대적 삶으로 다 전환되었지만 카시만은 옛 모습 옛 문화를 그대로 유지하고 있다. 마크 트웨인이 "역사보다 더 오래된 도시"(Benares is older than history.)라 한 재미있는 표현 그대로 태고의 역사와 문화를 간직하고 있다. 하바드대학의 인도학교수 에크의 하기서는 바라나시 도시의 모든 것에 관한 훌륭한 보고서이다. Diana L. Eck, *Banaras, city of light*, New Delhi : Penguin, 1983.

10. 이 이야기는 이미 불교의 근본경전이라 할 수 있는 『修行本起經』에 나오고 있으므로(아함과 동시대의 고본으로 추정됨) 매우 초기의 설화양식으로 여겨진다. 夫人攀樹枝, 便從右脇生墮地, 行七步, 擧手而言: "天上天下, 唯我

爲尊。三界皆苦, 吾當安之。"『修行本起經』,『大正』3-463.

11.『方廣大莊嚴經』卷第七,「往尼連河品」第十八,『大正』3-583.

12. "Uruvila-grama"로 불리기도 하고, "優婁頻螺"로 한역되기도 한다. 다
양한 표기법이 있다.

13. 이 유미공양(乳糜供養)의 수자타설화는 비아리안계통, 그러니까 아리안계
의 사람들이 이 지역을 지배하기 이전의 토착적 문화와 관련있다는 미야사카
유우쇼오氏의 지적은 주목할 만하다. 나가(Nāga) 신앙의 한 양식적 표현이라
는 것이다. 宮坂宥勝,『佛敎の起源』(東京 : 山喜房佛書林, 1987), p.352.

"須闍多"라는 한자음역이름은『佛本行集經』에 보이는데 그것을 의역하여
"善生,""善生女"라 했다.『方廣大莊嚴經』에는 "善生,""善生女"라고만
나오고 음역은 나오지 않는다. 산스크리트어로 "su"는 형용사로 쓰일 때는
"잘,""좋은"의 뜻이고 부사로 쓰일 때는 "지극히,""극도로"의 뜻이다.
"jata"는 태어남을 의미한다. 따라서 "Sujata"는 "잘 태어났다"(善生)는 뜻이
다. 태생의 환경이나 시기나 운수가 모두 좋다는 넓은 뜻이겠지만 우리말로
"잘 생겼다"(善生)는 의미도 포함할 것이다.

『佛本行集經』에는 "彼女端正, 可喜無雙。"이라 하여 그 외모의 아리따움이
강조되고 있다. 경전에는 모두 이 여인에게 전날 밤 아뇩다라삼먁삼보리를 증
득할 위인이 나타나리라는 신의 계시가 있었던 것으로 기술되어있지만, 이러
한 신화적 기술방식은 그 우연한 해후장면의 감동을 경감시킬 뿐이다.『佛本
行集經』에는 둘이서 만나는 첫 장면이 다음과 같이 극적으로 기술되고 있다.
싯달타가 먼저 도공의 집으로 들어가 깨진 항아리 조각 하나를 구걸한다. 그리
고 그 항아리 조각을 들고 우루벨라 마을 집들을 차례로 걸식해간다. 드디어
우루벨라 마을의 촌장집으로 걸식하러 들어서게 된다. 그 때였다. 그 촌장집의

용모단정한 딸인 수자타가 싯달타가 묵연히 서 있는 모습을 보는 그 순간, 그 처녀의 양 젖가슴에는 뿌연 젖이 스스로 철철 넘쳐흘렀다 운운.(善生見已, 從 其二乳, 自然汁出。)

14. 『方廣大莊嚴經』卷第八, 「詣菩提場品」 第十九, 『大正』 3-588.

15. 於時集至梵志相師, 普稱萬歲。即名太子, 號爲悉達。『修行本起經』卷 上, 「菩薩降身品」 第二, 『大正』 3-463.

16. 釋師出世壽極短, 肉體雖逝法身在, 當令法本不斷絶…… 如來法身不 敗壞, 永存於世不斷絶。『增壹阿含經』 卷第一, 「序品」 第一, 『大正』 2-549~550.

17. 이상의 대화는 팔리어삼장 중 長部(Dighanikāya)의 제16번째에 속하는 경전인 『대반열반경』(Mahāparinibbāna-Suttanta)의 내용 중에서 발췌하여 그 순서를 바꾸어 윤색한 것이다. 독자들이 받는 느낌의 강화를 위하여 원전 의 의미맥락이 손상받지 않는 범위 내에서 드라마타이즈시킨 것이다. 이 팔 리 니까야의 『대반열반경』에 해당되는 한역장경으로는 『長阿含經』 卷二~ 四에 수록되어 있는 『遊行經』을 들 수 있다(『大正』 1-11~30). 後秦의 佛陀 耶舍와 竺佛念이 함께 번역했다.

『열반경』은 소승계열과 대승계열의 전승이 있다. 그런데 이 두 계열의 편집 의도는 매우 다르다. 남방 상좌부의 전승인 이 팔리어 『대반열반경』은 죽음 을 향해 가는 부처님의 만년의 모습을 있는 그대로 생생하고 자세하게, 사실 적으로 묘사하고 있다. 노인 싯달타 그 인간의 모습이 사건 중심으로 소조하 게 그려져 있다. 낙엽이 진 쓸쓸한 거리의 영상을 찍어가는 하나의 로드무비 를 연상케 한다. 따라서 소승경전은 스토리 텔링이 그 주요형식이다. 이에 반하여 대승계열의『열반경』은 몹시 추상적이고 번쇄하며 구구한 논설이 엄청난 분량으로 나열되어 있다. 그것이 소기하는 것은 입멸과정의 역사적 사실의 서술이 아니라, 붓다의 열반과 관련된 추상적 논의들을 설파하기 위한 것이다. 즉 부처의 열반의 종교적 의미를 극대화시킨 것이다. 나는 대승계열의『대반열반경』보다는 소승계열의『대반열반경』이 보다 감동적이고 보다 소박하며 보다 가치있는 문헌이라고 확신한다. 대승『대반열반경』(40권본)은 최봉수역으로 동국역경원의『한글대장경』속에 들어가 있다. 그리고 소승『대반열반경』은 강기희역으로 민족사의 "불교경전 시리이즈" 제12권 단행본으로 간행되었다. 민족사의『대반열반경』의 일독을 나는 독자들에게 강권하고 싶다. 한우충동하는 불교의 문헌 중에서 가장 감동적인 위대한 문학작품의 하나일 것이라고 확신한다. 단지 이러한 소승경전조차도 후대의 구전일 뿐이며 사실을 그대로 전달하는 것은 아니다. 즉 다큐멘타리는 아니라는 것이다. 그것 또한 부처님의 열반의 의미를 우리에게 전달하기 위한 문학적 구성이며, 여러 이야기 전승들의 조합일 뿐이다. 따라서 그 내용은 치밀한 문헌비평을 통하여 사실에 접근하는 태도로 연구되어야 한다는 것을 부언해둔다. 소승·대승『열반경』에 관하여 폭넓은 지식을 제공하는 책으로 석지명스님의 하기서를 들 수 있다. 석지명,『큰 죽음의 法身』, 서울 : 불교시대사, 1995.

18. 是故阿難, 當建此意。我釋迦文佛壽命極長。所以然者, 肉身雖取滅度, 法身存在。此是其義, 當念奉行。『增壹阿含經』卷第四十四, 「十不善品」第四十八,『大正』2-787.

19. Frank E. Reynolds and Charles Hallisey, "Buddha," *The Encyclopedia of Religion* (New York : Macmillan, 1987), Vol.2, p.320.

20. 디팜카라는 싯달타가 전생에서 섬긴 부처님이다. 그 이야기는『수행본기경』에 나오고 있다. 고익진 편역,『한글아함경』(서울 : 동국대학교 출판부, 2000),

pp.11~19. 『大正』 3-461~3.

21. 『方廣大莊嚴經』卷第九, 「降魔品」 第二十一, 『大正』 3-592~3에 있는 게송을 내가 보다 문학적으로 각색한 것이다.

22. 菩薩一言, 便成老母。頭白齒落, 眼冥脊傴, 柱杖相扶而還。 『修行本起經』卷下, 「出家品」 第五, 『大正』 3-471.

23. 최봉수 옮김, 『마하박가』 1, pp.103~5.

24. 水野弘元, 『原始佛教』(京都 : 平樂寺書店, 1981), p.187. 마쯔모토 시로오 (松本史朗)씨는 여래장론을 비판한 문제의 작, 『연기와 공』에 실린 "해탈과 열반"이라는 논문 속에서 "열반"의 뜻이 전통적인 "불을 끔," "소멸"이라는 뜻 이외로 "덮임을 제거하다," "풀어지게 하다," "이탈"의 의미를 지니고 있다고 주장한다(nibbuta, parinibbuta). 후자의 의미맥락으로 "열반"의 뜻을 풀어야만 원문들이 소기하는 의미가 명료하게 드러난다는 것이다. 그리고 마쯔모토씨가 이러한 주장을 하는 까닭은 열반의 이러한 의미 배경에는 아론 (我論)이 깔려있다는 것을 논증하기 위한 것이다. 즉 실체적으로 아트만이 전제되어 있고, 그 아트만을 가린 덮임을 제거하고, 그 아트만을 비아트만에서 이탈시키는 것이 열반이요, 해탈이라는 것이다. 이것은 그가 열반과 해탈을 긍정하기 위하여 벌리는 논점이 아니다. 열반과 해탈이라는 말 속에 숨겨져 있는 왜곡적인 요소, 불교와 대립한 인도전통철학이나 쟈이나교 등의 아론이 초기승단내부로 침투하여 원시불전에 반영되어 있는 지극히 비불교적인 요소를 가려내기 위한 것이다. 다시 말해서 그는 열반과 해탈을 비불교적인 것으로 보고 그것을 근원적으로 부정하고 있는 것이다. 나는 마쯔모토씨의 논지가 과격하여, 논란의 여지를 남긴다고 생각하지만, 그의 주장의 본의는 매우

명쾌한 것이며 내가 생각하는 근본불교의 모습에 접근하는 것이라고 생각한다. 松本史朗의 문제작,『연기와 공』은 慧諶교수에 의하여 번역되었다(서울 : 운주사, 1998). 원작은 松本史朗,『緣起と空, 如來藏思想批判』(東京 : 大藏出版, 1998), p.198.

25. 최봉수 옮김,『마하박가』1, pp.55~6.『南傳大藏經』3-15. T. W. Rhys Davids and Hermann Oldenberg, *The Mahāvagga*, in *The Sacred Books of the East*, edited by F. Max Müller (Delhi: Motilal Banarsidass, 1974), Vol. XIII, p.91. 상기의 세 번역을 참고하여 번역하였다. 참고로 영어 번역을 소개하면 다음과 같다.

I have overcome all foes;
I am all-wise;
I am free from stains in every way;
I have left everything;
and have obtained emancipation by the destruction of desire.
Having myself gained knowledge,
whom should I call my master?
I have no teacher;
no one is equal to me;
in the world of men and of gods no being is like me.
I am the holy One in this world,
I am the highest teacher,
I alone am the absolute Sambuddha;
I have gained coolness (by the extinction of all passion)
and have obtained Nirvāna.
To found the Kingdom of Truth
I go to the city of the Kāsīs (Benares);

I will beat the drum of the Immortal in the darkness of this world.

이 세존의 말은, 그가 가야와 우루벨라 마을 사이에 있는 큰길을 가고 있을 때, 아지바카(Ājīvaka)교파의 우파카(Upaka)라는 사람이 세존의 깨끗하고 밝은 모습을 보고 "그대는 과연 누구인가"라고 묻는 질문에 게송으로 답하는 형식으로 등장하고 있다.

26. 『方廣大莊嚴經』 卷第九, 「成正覺品」 第二十二, 『大正』 3-596.

27. 누(漏)는 범어 "āsrava"의 의역이다. 여기서 누는 "번뇌"의 다른 이름이다. 누는 본래 "流入"의 의미였다. 번뇌나 업이나 고난이 몸 속으로 새어들어 온다는 의미였던 것이다. 그런데 후대로 오면서 이 누는 "새어 나간다"(漏出)는 뜻으로 해석되었다. 번뇌는 눈·코·입·귀 따위의 6근으로 밤낮 새어나와 그치지 않는다는 것이다. 또 우리 마음을 흘러 달아나게 한다는 것이다. 이 누를 더 이상 흐를 것이 없는 상태로 비우는 것을 누진(漏盡, āsrava-kṣaya)이라 했고 공갈(空竭)이라 했다. 나는 여기서 제1구의 번뇌와 중복되기 때문에 그냥 "잡념"이라는 표현을 차용하였다.

28. ①경상북도 봉화군 명호면 북곡리 청량산에 있는 사찰. 조계종 제16교구 본사인 고운사(孤雲寺)의 말사. 원효창건설과 의상창건설이 있다. ②경상남도 합천군 가야면 황산리 매화산 기슭에 있는 사찰. 조계종 제12교구 본사인 해인사의 말사. 『삼국사기』에 최치원이 즐겨 놀았다는 기록이 있음.

29. 松本史朗, 『연기와 공』(서울 : 운주사, 1998), pp.222～3. 『緣起と空』(東京 : 大藏出版, 1998), pp.192～3. 마쯔모토씨는 "해탈과 열반"이라는 논문에서 해탈이나 열반은 가치적으로 상하관계에 있는 두 실체를 전제로 하며, 그것은 좋은 것이 나쁜 것으로부터 벗어나는 것을 의미한다고 지적했다. 이때

좋은 것은 무시간적인 독존(獨存)이다. 싯달타 재세시에도 초기상키야철학이나 쟈이나교의 아론은 이러한 해탈사상을 대표하고 있었는데, 이러한 아론(我論)에 기초한 해탈사상이 초기불교교단에 침투되어 불교경전에 반영되었다고 지적한다. 나는 마쯔모토씨의 이러한 논의는 매우 의미있는 지적이라고 생각한다.

30. 석지현 역, 『법구경』(서울 : 민족사, 2001), pp.151~2.

『雜阿含經』第十에 "一切行無常, 一切法無我, 涅槃寂滅"이라 했고(『大正』2-66), 『大般涅槃經』第十三에 "一切行無常, 諸法無我, 涅槃寂滅, 이것은 第一義이다"라고 했고, 『蓮華面經』卷下에 "一切行無常, 一切法無我, 및 寂滅涅槃, 이 셋은 法印이다"라 했고, 『有部毘奈耶』第九에 "諸行은 모두 無常이요, 諸法은 모두 無我요, 寂靜은 곧 涅槃이다. 이것을 三法印이라 이름한다"라 했고, 『大智度論』第三十二에 "佛은 三法을 說하여 法印으로 삼았다. 소위 一切有爲法無常印, 一切法無我印, 涅槃寂滅印이 그것이다"라 했다. 이로 미루어 볼 때 三法印의 개념은 아가마시대부터 성립한 것이긴 하지만 그것이 法印의 개념으로 확연하게 쓰여진 것은 대승불교시대에 내려와서야 정착된 것으로 보인다. 그것은 대승의 "아폴로지"로서 생겨난 것이며, 특히 중국불교에 와서 경전의 진위를 판정하기 위한 표준으로서 더 확고한 지위를 확보한 것으로 보인다.

31. 나의 이 말은 인도철학계의 원시불교에 관한 논쟁인 "비아설"(非我說)과 관련하여 오해를 불러일으킬 소지가 있다. 나카무라(中村元)박사가 『原始佛敎の思想』에서 초기불교에는 "非我說"만 있었을 뿐, "無我說"은 설파되지 않았다고 했을 때의 "非我"는 我와 대립되는 非我로서의 실체개념이 아니라, 五蘊의 가합태와 같은 것은 진정한 내가 아니다라고 하는 소박한 윤리적 맥락을 드러내는 非我인 것이다. 즉 "我가 아니다"라고 하는 술부적 부정태의 의미맥락이 일차적인 설법의 내용이었으며, 후대의 부파불교에서 이론화

한 존재론적·우주론적 無我의 論說이 아니었다는 것이다. 無我가 단순히 "내가 아니다"(非我)라는 소박한 명제의 맥락을 넘어서서 我가 근원적으로 존재치 않는다고 하는 존재론적 주장으로 해석되면 그것은 또 하나의 형이상학적 콤미트먼트가 되며 형이상학적 명제에 대해 무기적(無記的) 태도를 견지한 싯달타의 생각에서 너무 이탈된다는 것이다. 내가 없다는 것은 이미 하나의 형이상학적 판단이라는 것이다. 그리고 윤리적 주체로서의 아트만은 초기불교문헌에서는 결코 부정되질 않았다는 것이다.

나는 이러한 나카무라박사의 지적은 원시불교성전의 맥락 속에서는 매우 적합한 것이라고 생각한다. 그런데 마쯔모토씨는 이러한 非我說은 필연적으로 我論과 연결되지 않을 수 없다고 비판한다. 인도에서는 我의 해탈을 설하지 않는 我論은 존재할 수 없다는 것이다. 따라서 나카무라박사가 말하는 非我說은 非我를 我로서 집착해서는 안된다는 것이며, 이러한 비아설은 아론을 설하는 쟈이나교의 무소유사상과 합치되는 것이며 불교의 연기론적 이해와는 거리가 멀다는 것이다. 즉 非我가 실체화되며, 본래적 자아와 비본래적 자아가 항상 분열을 일으킨다는 것이다. 마쯔모토씨의 비판은 원시불교를 애매하게 이해하는 사람들에게 일갈을 가하는 명쾌한 지적이기는 하지만 나카무라박사의 본취지를 너무 비판을 위한 비판의 대상으로 휘몰아간 느낌이 있다. 나카무라박사의 논의는 마쯔모토씨가 주장하는 연기론적 사유를 다 고려한 위에서 소박한 실천적 의미맥락의 측면을 지적한 것이라고 보아야 하기 때문이다.

그런데 내가 여기서 "비아(非我)가 아니다"라고 했을 때의 "비아"는 마쯔모토씨가 부정적 맥락에서 사용한 그러한 실체적 개념에 가까운 표현이며, 현대 면역학(immunology)에서 말하는 非我(non-Self)라든가, 우리나라 단재 신채호가 말하는 "非我"와 같은 개념으로 사용한 것이다. 나는 나카무라의 "非我說"이라는 말 대신, "非我論"이라는 말을 사용하였다. 中村元, 『原始佛敎の思想 上』(中村元選集, 第13卷), 東京 : 春秋社, 1978, pp.139～212. 松本史郎, 『緣起と空』, p.201. 혜원역, 『연기와 공』, pp.232～3.

32. 松本史郎,『緣起と空』, p.193. 혜원역,『연기와 공』, p.223.

33. 최봉수 옮김.『마하박가』1, p.40.

At that time the blessed Buddha dwelt at Uruvelā, on the bank of the river Nerañgarā, at the foot of the Bodhi tree (tree of wisdom), just after he had become Sambuddha. And the blessed Buddha sat cross-legged at the foot of the Bodhi tree uninterruptedly during seven days, enjoying the bliss of emancipation.

Then the Blessed One (at the end of these seven days) during the first watch of the night fixed his mind upon the Chain of Causation, in direct and in reverse order.

Sacred Books of the East, Vol. XIII, pp.73～5.

34.『南傳大藏經』9-340. 그리고 같은 말이 한역장경『中阿含經』卷第七, 「象跡喩經」第十에는 "若見緣起, 便見法; 若見法, 便見緣起."라는 구절로 되어있다.『大正』1-467.

35. 若比丘見緣起爲見法, 正見法爲見我﹐『了本生死經』. 見十二因緣, 卽見法﹐ 卽是見佛﹐『稻芉經』.

36. 我從謀夜得最正覺, 乃至謀夜入般涅槃﹐ 於其中間, 不說一字﹐『楞伽阿跋多羅寶經』卷第三,「一切佛語心品之三」,『大正』16-499. 大慧보살과 世尊사이의 대담 중에서 나오는 말이다.

37. 爾時世尊, 告諸比丘﹐ 我今當說因緣法及緣生法﹐ 云何爲因緣法? 謂此有故彼有﹐ 謂緣無明行, 緣行識, 乃至如是如是純大苦聚集﹐『雜阿含經』

卷第十二, 296,『大正』2-84.

38. 詣菩提樹下, 敷草爲座, 結跏趺坐。端坐正念, 一坐七日, 於十二緣起, 逆順觀察, 所謂此有故彼有, 此起故彼起。緣無明行, 乃至緣生有老死, 及純大苦聚集, 純大苦聚滅。『雜阿含經』卷第十五, 369,『大正』2-101.『雜阿含經』卷第十二, 297,『大正』2-84에도 비슷한 표현이 있다. 한글로 읽고자 하는 사람은 고익진 선생이 편한『한글 아함경』(서울 : 동국대출판부, 2000) 중 "십이연기설"을 보라. 그리고 이러한 표현의 팔리어장경 경문으로서 대표적인 것은『상응니까야』인연편의「인연상응」, 37번을 들 수 있다: imasmiṁ sati idaṁ hoti, imassuppādā idam uppajjati, imasmim assati idaṁ na hoti, imassa nirodhā idaṁ nirujjhati.(이것이 있기 때문에 저것이 있고, 이것이 생겨나기 때문에 저것이 생겨난다. 이것이 없으면 저것도 없고, 이것이 멸하기 때문에 저것도 멸한다.)『南傳』13-96.

39. 최봉수,『마하박가』1, pp.47～8.『南傳』3-8～9. 양자를 절충하여 번역하였다.

40. 여기 논의되고 있는 順觀과 逆觀에 관하여서는 불교학계의 상이한 이해 방식이 다양하게 존재하고 있다. 그런데 우리가 먼저 전제해야 할 중요한 사실은 정확하게 "順觀・逆觀"이라고 독립술어로서 규정되고 있는 개념은 漢譯과정에서 생겨난 것이며 원시불교경전 자체의 문제는 아니라는 것이다. 원시불교경전에는 順・逆이라는 말이 형용사나 부사적 용법으로서 맥락적으로 주어지고는 있을지언정, 順觀・逆觀이라고 하는 술어가 명사적 독립개념으로서 잇슈화 되고 있지는 않다는 것이다.

우선 順觀・逆觀의 문제를 싯달타가 12지연기를 추론해 들어간 사고의 방향성과 관련지어 생각하는 논의들이 있다.『大乘義章』第四에 "因緣法 가운데는 두 개의 次第가 있다. 그 하나는 順이요 그 하나는 逆이다. 始로부터 終에 이르는 것을 順의 次第라 하고, 終으로부터 始에 이르는 것을 逆의 次第라 한다. 觀法은 多途하여 一定할 수 없다"라 했는데 이것은 바로 順觀·逆觀을 사고추리과정의 방향성으로 규정한 좋은 예이다. 그렇게 되면, 無明에서 順次的으로 老死에 이르는 사고의 과정을 順觀이라 규정케 되고, 老死에서 無明으로 거슬러 올라가는 과정을 逆觀이라 규정케 되는 것이다. 이러한 규정에서 중요한 사실은 順·逆觀의 문제는 流轉緣起(생성연기)·還滅緣起(소멸연기)의 문제와는 별도의 문제가 된다는 것이다. 이러한 논의를 따르게 되면 유전연기에도 순관·역관이 성립하며, 소멸연기에도 순관·역관이 또한 성립하게 될 것이다.

고익진선생은 順觀·逆觀을 이러한 사고의 방향성으로 이해하고 원시불교의 이해에 중요한 실마리를 제공한다고 보았다. 즉 싯달타의 사고의 엄밀성과 과학성은 구체적인 老死의 현실로부터 逆觀으로 거슬러 추론해가면서, 나중에 무명에서부터 順觀으로 설명해 내려온 데 있다는 것이다. 처음부터 무명에서 연역적으로 추론해 내려오기만 한 것이 아니라는 것이다. 즉 순관으로만 추론한다면 그것은 너무 독단적일 수 있다는 것이다. 붓다의 순관은 깨달음에 입각해서 생사의 발생과정을 밝혀주는 설명적 교설일 뿐이라는 것이다: 교양교재 편찬위원회, 『佛教學概論』(서울 : 동국대학교출판부, 1986), p.74. 이중표 교수는 이러한 논의에 입각하여 고제와 집제를 유전문의 역관과 순관으로 규정하고, 멸제와 도제를 환멸문의 역관과 순관으로 규정한다: 이중표, 『근본불교』(서울 : 민족사, 2002), pp.256~7.

그런데 고익진선생이 이러한 주장의 근거로 제시한 『잡아함경』 卷12, 卷15, 그리고 『증일아함경』 등을 자세히 살펴보면, ·그곳에는 순관과 역관의 용어는 전무하며 그러한 문제의식조차 거의 나타나지 않는다. 순관과 역관을 싯달타의 사고추리의 방향성으로 해석한 것은 단지 후대 교설의 한역술어에서 잘못 유추된 의미상의 와전이 아닌가 생각한다. 이때 順觀은 "따라 본다"의 의미가 될 것이고 逆觀은 "거슬러 본다"의 의미가 될 것이다.

그러나 원시불교의 연구가들, 특히 팔리어장경의 원전에 입각하여 사고하는 사람들은 대체적으로 順・逆觀의 문제를 싯달타의 사고의 방향성의 문제로 이해하고 있지를 않다. 사실 인간의 사유추리과정에 있어서의 방향성이란 그렇게 근원적인 문제일 수가 없다는 것이다. 順・逆의 문제는 그러한 부차적인 사고의 방향성의 의미보다는 보다 근원적인 어떤 사고의 내용성과 관계되는 것으로 해석되어야 하는 것이다. 12지연기설의 가장 프로토타입으로 꼽는 『마하박가』初誦品 첫머리에서 順・逆의 문제는 "연기를 발생하는 대로, 그리고 소멸하는 대로 명료하게 사유하시었다"라는 구절 속에서만 규정될 수 있는 문제로 귀결된다. 여기 인용된 최봉수의 번역에 해당되는 일역 『남전』의 구문은 "緣起を順逆に作意したまへり"라고 되어 있다. 여기 "발생하는 대로"(順に)와 "소멸하는 대로"(逆に)에 해당되는 팔리어는 아누로마(anuloma)와 파티로마(paṭiloma)라는, 형용사가 부사적으로 어미변화를 일으킨 형태이다. 그러니까 順觀・逆觀의 문제는 "아누로마"와 "파티로마"의 해석의 문제, 그 이상의 아무 것도 아니다. 그리고 아누로마에 해당되는 부분에는 무명으로부터 노사에 이르기까지 차례로 생하는 12연기가 기술되어 있고, 파티로마에 해당되는 부분에는 무명으로부터 노사에 이르기까지 차례로 멸하는 12연기가 기술되어 있다.

그리고 小部니까야의 세 번째 경전(『法句經』 다음에 오고 있다)인 "우다나"(Udāna, 優陀那)라는 이름의 『自說經』(붓다 자신이 감흥에 따라 발한 게송이라는 뜻)의 第一品 菩提品에 아누로마는 "此有故彼有, 此生故彼生。"에 해당되는 유전연기로서 명료하게 규정되어 있다. 그리고 그것은 大覺七日後夜 初分의 사고였다는 것이다.

그리고 파티로마는 夜中分의 사고였으며 "此無故彼無, 此滅故彼滅。"에 해당되는 환멸연기가 그 내용이었다는 것이다. 다시 말해서, 아누로마(順次)는 유전연기, 파티로마(逆次)는 환멸연기를 의미하는 것으로 명료하게 규정되어 있으며, 그것은 각기 大覺七日後夜 初分과 中分의 사고를 나타내는 것으로서 나뉘어 기술되고 있는 것이다.

아누로마의 "아누"(anu)는 "따라서"의 의미이며 "로마"(loma)는 "순서," "틀" 등의 의미가 있다. 그리고 파티로마의 "파티"(paṭi)는 "거슬러," "대하여"의 의미가 있다. 즉 아누와 파티에는 "for"와 "against"의 대칭적 의미가 있다. 따라서 아누로마와 파티로마는 順次와 逆次로 번역되는데 큰 무리가 없는 듯이 보인다. 그리고 이것을 확대해석하여 順觀과 逆觀으로 개념화하면 마치 어떠한 순서의 방향의 順・逆을 의미하는 것처럼 해석될 소지가 항상 있다.

그러나 아누로마의 원래 의미는 그러한 사고의 방향성을 말한다기보다는 12지연기의 성격을 규정하는 말로서 해석되는 것이다. 즉 아누로마는 생하는 것을 따르는 순서라는 의미일 뿐이며, 파티로마는 그러한 아누로마의 생성의 순서에 대하여 역으로 소멸하는 순서를 의미하는 것이다. 즉 역이라는 의미는 사고의 방향을 의미하는 것이 아니라, 생성의 순서에 대한 소멸의 순서라는 逆轉의 논리를 내포하는 것이다. 즉 A가 B를 생성시키는 것으로 볼 수도 있지만 역으로 A가 소멸되면 B도 또한 소멸될 수 있다고 하는 소멸의 역전적 사고가 가능하다는 것이다. 이때의 逆은 역설의 역이다. 아누로마의 아누는 오직 팟차야(paccaya, 연하여, 기대어)의 맥락에서, 파티로마의 파티는 오직 니로다(nirodha, 사라지므로, 소멸하므로)의 맥락에서 해석되어야 하는 것이다: 三枝充惪, 『佛敎入門』(東京 : 岩派新書, 1999), pp.108~9. 전재성은 아예 아누로마이 이누를 인산의 욕망을 "따라서"로 파티로마의 파티를 인간의 욕망에 "거슬리어"로 해석하여, 아누는 생성의 연기를 파티는 소멸의 연기를 나타낸다고 파악한다. 그리고 아누로마는 집제(集諦)를, 파티로마는 도제(道諦)를 나타낸다는 것이다. 전재성은 집제를 若生此卽生彼의 원리로, 도제를 若滅此卽滅彼의 원리로 규정하는 맥락에서 그렇게 말하고 있는 것이다.

일반적으로 우이하쿠쥬(宇井伯壽)선생이 말하는 바대로, 12지연기를 말할 때는 順觀은 곧 流轉緣起를, 逆觀은 곧 還滅緣起를 말하는 것으로 등식화 되며, 또 順觀은 苦諦와 集諦를, 逆觀은 滅諦와 道諦를 포괄하는 개념으로 간

주되는 것이다: 宇井伯壽, 『佛教汎論』(東京 : 岩派書店, 1962), pp.1064~5. 나는 이러한 가장 일반적인 논리에 따라 順觀과 逆觀의 의미를 평이하게 서술하였다.

그리고 또 연기를 말하는 데 있어 "此有故彼有, 此起故彼起。此無故彼無, 此滅故彼滅。"이 항상 짝지어 나오기 때문에 "有·無"는 존재(Being)의 세계를, "起(生)·滅"은 生成(Becoming)의 세계를 말하는 것으로 분별하여 세밀한 논의를 일삼는 학설이 많지만 나는 그러한 논의에 크나큰 관심을 갖지 않는다. 싯달타의 12연기는 어디까지나 인간의 까르마(업)에 관한 추론이며 그것은 구체적인 행위의 국소성을 전제로 한 것이다. 생성의 시간선상에서 분명한 전후의 인과개념을 가지고 말한 것이다. 이러한 대전제를 무시하고 인과에 대한 모든 형이상학적 담론까지를 포괄해서 과학철학의 제문제를 논의하듯이 논의하는 것은 별로 설득력이 없다.

예를 들면, 金東華는 "有·無의 논의"(이것이 있으면 저것이 있고, 이것이 없으면 저것이 없다)는 一切事物의 同時竝存的 聯關性을 道破한 것이요, "起·滅의 논의"(이것이 생기면 저것이 생하고, 이것이 멸하면 저것이 멸한다)는 一切事物의 異時繼起的 聯關性을 表示한 것으로 보아, 전자를 공간적·실상론적·제법무아적 논의로, 후자를 시간적·연기론적·제행무상적 논의로 규정한다: 金東華, 『佛敎學槪論』(서울 : 白映社, 1967), pp.104~5. 그리고 전재성은 此有故彼有는 苦諦를, 此起故彼起는 集諦를, 此無故彼無는 滅諦를, 此滅故彼滅은 道諦를 나타낸 것으로 각기 배속하여 정교한 논의를 편다: 전재성, 『初期佛敎의 緣起思想』, 서울 : 한국빠알리성전협회, 1999. 김동화의 논의는 너무 도식적인 이원론에 빠져있고, 전재성의 논의는 너무 인과의 개념을 확대해석하고 있다. 인과의 개념에는 반드시 시간적 선·후 관계가 전제될 수밖에 없으며(상대성이론에서조차도), 동시적 인과개념이라는 것은 성립할 수가 없다. 양자역학에서 말하는 넌로칼(non-local)한 동시적 영향 같은 것은 얽힘(entanglement)이지 인과(causation)가 아니다. "때문에"라는 접속사로 연결되는 모든 관계가 인과인 것처럼 전제하고 펼치는 논의는, 12연기설에 관한 한, 별 의미가 없다. 三把의 束蘆가 互相依持하는 것은 결구상의 상호의존관계이지 그것을 인과라고 말할 수는 없는 것이다. 인과라는 것은 로칼한 두 사태 사이에서 정보의 전달이 있어야 하는 것이다.

"此有故彼有, 此起故彼起。"라 했을 때, 구태여 전자를 무시간적 시각에서 후자를 유시간적 시각에서 말할 수 있을지는 모르나, 전자는 인간의 행위의 체계로서 서로 의존적 관계에 있는 어떤 내재적 실상을 말한 것이라면 후자는 실제 행위체계로서의 시간적 선후의 증장하는 관계를 말하는 것으로 보아야 할 것이다. 그러나 양자가 모두 궁극적으로 시간적 연기의 관계항목을 설하고 있는 것에는 틀림이 없다. 전자를 "의존하고 있음"으로, 후자를 "함께 나타남"으로 보아 "이것이 있는 곳에 저것이 있고, 이것이 나타날 때 저것이 나타난다"라고 해석하는 이중표의 논의는 일고의 가치가 있다. 이중표, 『근본불교』(서울 : 민족사, 2002), pp.260~1.

연기에 있어서 무시간적 차원은 있을 수가 없다. 인간의 사유 그 자체가 이미 시간 속에 있는 것이다. 그리고 모든 공간적 관계도 연기에 관한 한 시간을 매개로 하는 것이다. 그리고 연기론은 궁극적으로 인간의 행위의 소박한 윤리적 차원을 떠날 수는 없다. 그것은 사물의 우주론적·존재론적 해명은 아닌 것이다.

41. 팔리어장경 長니까야 16번째 경전인, 『大般涅槃經』의 말과 그에 해당되는 『長阿含經』 「遊行經」에 나오는 말을 절충하여 번역하였다. 전자는 『南傳』 7-144, 후자는 『大正』 1-26. 是故比丘, 無爲放逸。我以不放逸故, 自致正覺。無量衆善, 亦由不放逸得。一切萬物無常存者。此是如來末後所說。

42. 이러한 지눌의 정신을 이해하려면 그의 『法集別行錄節要幷入私記』를 한번 일별함이 좋다. 지눌의 사상을 잘 해설한 것으로 볼만한 책은, 김형효·길희성·허우성·한형조·최병헌이 지은 『知訥의 사상과 그 현대적 의미』,

서울 : 한국정신문화연구원, 1996.

43.『中阿含經』, 業相應品,「尼乾經」第九,『大正』1-442～5. 팔리어장경
『중니까야』101,「天臂經」(*Devadaha-sutta*),『남전』11上-279～297. 이
부분에 관하여 水野弘元,『原始佛敎』pp.62～5를 참고하였다.

44. 水野弘元,『原始佛敎』, pp.85～102를 참고하였다.

檮杌 金容沃

- 충남 천안 태생
- 고려대 생물과
- 한국신학대학
- 고려대 철학과 졸업 (72)
- 국립대만대학 철학과 석사 (74)
- 일본 동경대학 중국철학과 석사 (77)
- 하바드대학 철학박사 (82)
- 고려대 철학과 부교수 부임 (82)
- 고려대 철학과 정교수 (85)
- 억압된 정치상황 속에서 양심선언문을 발표하고,
  고려대 철학과 교수직을 사직 (86. 4.)
- 그 후로 자유로운 영화, 연극, 음악, 저술 활동
- 원광대학교 한의과 대학졸업 (90~96)
- 동숭동에 도올한의원 개원, 환자를 돌보다 (96. 9.)
- 서울대 천연물과학연구소 교수·용인대 무도대학 유도학과 교수·중앙대
  의과대학 한의학 담당교수·한국예술종합학교 연극원 강사 역임 (96~98)

현재 : 도올서원 강주

저서 : 『여자란 무엇인가』, 『東洋學 어떻게 할 것인가』, 『절차탁마대기만성』, 『루어
투어 시앙쯔』(上·下), 『중고생을 위한 철학강의』, 『아름다움과 추함』, 『이땅에
서 살자꾸나』, 『새춘향뎐』, 『老子哲學 이것이다』, 『나는 佛敎를 이렇게 본
다』, 『길과 얼음』, 『新韓國紀』, 『白頭山神曲·氣哲學의 構造』, 『시나리오
將軍의 아들』, 『讀氣學說』, 『태권도철학의 구성원리』, 『도올세설』, 『대화』,
『도올논문집』, 『氣哲學散調』, 『三國遺事引得』, 『石濤畵論』, 『너와 나의 한
의학』, 『醫山問答 : 기옹은 이렇게 말했다』, 『삼국통일과 한국통일』(上·下),
『天命·開闢』, 『도올선생 中庸講義』, 『건강하세요 I 』, 『話頭, 혜능과 셰익
스피어』, 『이성의 기능』, 『도올 김용옥의 金剛經 강해』, 『노자와 21세기』
(1·2·3), 『도올논어』(1·2·3)

달라이라마와 도올의 만남(1)

2002년 8월 1일 초판발행
2002년 8월 17일 1판 2쇄

지은이 김 용 옥
펴낸이 남 호 섭
펴낸곳 통 나 무

서울 종로구 동숭동 199-27
전화 : (02) 744 - 7992
팩스 : (02) 762 - 8520
출판등록 1989. 11. 3. 제1-970호

값 16,000원

ISBN 89-8264-081-9   04220
ISBN 89-8264-080-0   (전3권)